A BIBLIOTECA ELEMENTAR

ALBERTO MUSSA

A BIBLIOTECA ELEMENTAR

3ª edição

EDITORA RECORD
RIO DE JANEIRO • SÃO PAULO
2023

CIP-BRASIL. CATALOGAÇÃO NA PUBLICAÇÃO
SINDICATO NACIONAL DOS EDITORES DE LIVROS, RJ

M977b Mussa, Alberto, 1961-
3. ed. A biblioteca elementar / Alberto Mussa. - 3. ed. - Rio de Janeiro : Record, 2023.

ISBN 978-65-5587-624-6

1. Rio de Janeiro - História - Ficção. 2. Ficção brasileira. I. Título.

CDD: 869.3
22-80150 CDU: 82-311.6(81)

Meri Gleice Rodrigues de Souza - Bibliotecária - CRB-7/6439

Projeto gráfico de box e capas: Leonardo Iaccarino

Texto revisado segundo o Acordo Ortográfico da Língua Portuguesa de 1990.

Direitos exclusivos desta edição reservados pela
EDITORA RECORD LTDA.
Rua Argentina, 171 – Rio de Janeiro, RJ – 20921-380 – Tel.: (21) 2585-2000.

Impresso no Brasil

ISBN 978-65-5587-624-6

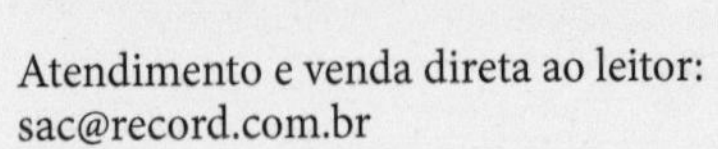
Seja um leitor preferencial Record.
Cadastre-se em www.record.com.br
e receba informações sobre nossos
lançamentos e nossas promoções.

Atendimento e venda direta ao leitor:
sac@record.com.br

Para Elaine,
a onça no mato.

Nota prévia da primeira edição

Com *A biblioteca elementar* se encerra o ciclo que denominei "Compêndio mítico do Rio de Janeiro", composto por este e outros quatro títulos: *O trono da rainha Jinga*, *O senhor do lado esquerdo*, *A primeira história do mundo* e *A hipótese humana*.

São obras independentes, que podem ser lidas a qualquer momento, em qualquer ordem — tendo apenas em comum o fato de pertencerem, cumulativamente, a cinco gêneros tradicionais do romance: o carioca, o histórico, o fantástico, o policial e o de adultério.

Mas tal coincidência não é suficiente para fazer desse conjunto uma série ou (como prefiro) um sistema: a unidade está no fato de todos eles se inspirarem em problemas mitológicos das tradições ameríndias, africanas e do Brasil popular, embora não faltem remissões a mitos bíblicos e clássicos.

Chamo de "problemas mitológicos" as grandes indagações humanas, que perduram há muitíssimos milênios, relativas à constituição da ordem cósmica atual: origem e estrutura do universo; natureza dos seres visíveis e invisíveis; eventos ou qualidades que tornaram os grupos humanos distintos desses seres (e também distintos entre si); qualidades ou eventos que fizeram o homem diferente da mulher; e daí por diante.

Cada povo, cada etnia, produz relatos distintos sobre cada um desses tópicos — relatos esses que também se modificam, com o correr do tempo. Nessa perspectiva, devemos incluir aí a mitologia moderna, também chamada de "ciência" — mera designação etnocêntrica que não passa, no fim das contas, de mais um gênero de narrativa.

Devo insistir num ponto: se as mitologias variam, e divergem entre si, condicionadas que são pela cultura e pela história, os problemas míticos, os problemas humanos são essencialmente os mesmos, independentes do tempo e do espaço.

Elegi, para o "Compêndio", temas que ainda hoje me parecem inquietantes: a noção de alma em contraponto à de pessoa (*A hipótese humana*); a natureza da sexualidade masculina (*O senhor do lado esquerdo*); a natureza da sexualidade feminina, ao menos na visão que têm os homens dela (*A primeira história do mundo*); a ideia de Bem como função do Mal (*O trono da rainha Jinga*); e a necessidade de se pressupor uma causa primitiva, ou um agente elementar, desse mesmo Mal — que é o assunto deste volume.

Mas não desejo intimidá-los com introdução tão pesadamente literária e falsamente erudita: mitos falam uma linguagem popular e universal; compartilham uma gramática antiquíssima, cujas origens se confundem com as da própria humanidade.

Chamo a atenção, no entanto, para uma circunstância importante, embora viole com isso um dos fundamentos da ficção policial, que é o de não antecipar o fim: dentre os crimes que perpassam o livro, apenas um é de fato relevante; apenas um resume e simboliza *A biblioteca elementar*.

Contraditoriamente, esse crime é o único que não acontece.

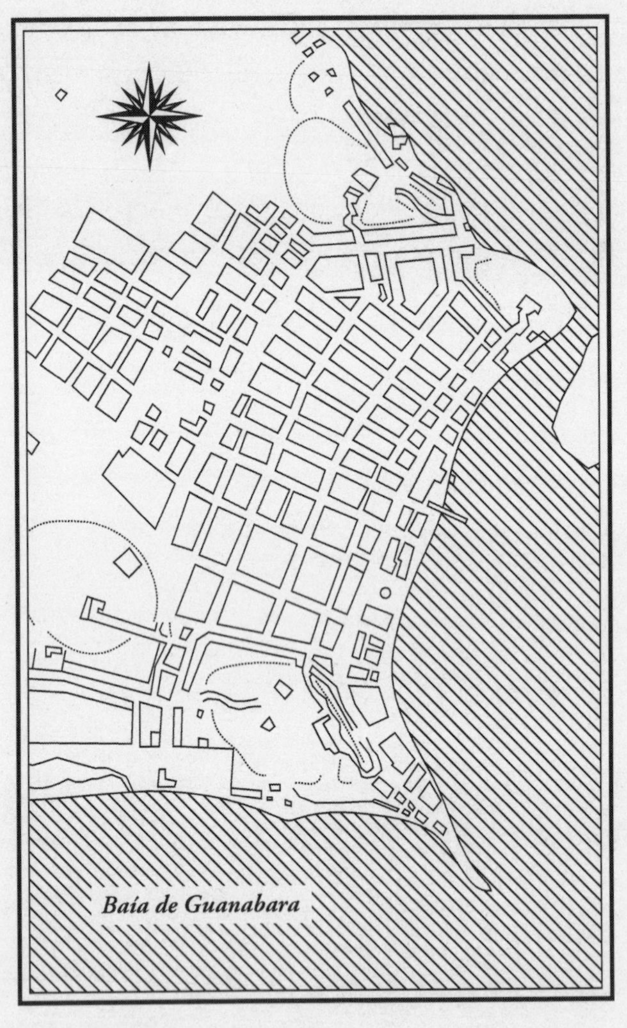

Fonte: Adaptação com base em mapa anônimo do Rio de Janeiro do século 18.

Rua do Egito
Rua da Vala
Rua dos Três Cegos
Cemitério
Morro de Santo Antônio
Chafariz
Convento

Relação dos moradores das casas da rua do Egito

Casa 1: Armazém dos Alarcães.

Casa 2: Aires Rabelo (ferreiro) e Brites Barbalha (tecelã de redes). Concluída em 1722.

Casa 3: Romão Roriz (negreiro) e Violante Rabelo (cartomante). Concluída em 1722.

Casa 4: Silvério de Negreiros Cid e Páscoa Muniz, a Chouriça. Concluída em 1723.

Casa 5: Gaspar Roriz (contrabandista) e Ângela Pacheca (quiromante). Concluída em 1724.

Casa 6: Félix Curto (armeiro) e Águeda Roxa (piromante). Concluída em 1724.

Casa 7: Afonso Roxo (arrieiro e seleiro) e Rosaura Borja (ornitomante). Concluída em 1725.

Casa 8: Leonor Rabelo (cartomante); Maria Cabra (escrava); Epifânia Dias, a Carangueja; e Maria Pinima, ou Maria Malhada. Concluída em 1725.

Casa 9: Antônio Laço (ourives clandestino e dourador) e Flora Curta (nefelomante). Concluída em 1725.

Casa 10: Custódio Homem, o Piolho. Concluída em 1726.

Casa 11: Taverna dos Repinchos (tavolagem), Manuel e Mécia (portugueses). Proprietário da casa: Piolho. Concluída em 1727.

Casa 12: Bernarda Arrais, ou Bernarda Moura. Proprietário da casa: Dioniso Roriz. Concluída em 1727.

Casa 13: André Pacheco (caldeireiro e latoeiro) e uma *gajin*. Concluída em 1728.

Casa 14: Um Curto (negociante de metais) e uma Borja (quiromante). Concluída em 1729.

Casa 15: Cosme Antunes, o Tibuca (africano liberto, barbeiro). Proprietário da casa: Piolho. Concluída em 1729.

Casa 16: Gil Borja (negociantes de cavalos) e Plácida Laço (oniromante). Concluída em 1730.

Casa 17: Os Muniz, tio e mãe de Páscoa (cristãos-novos, adelos). Proprietário da casa: Piolho. Concluída em 1730.

Casa 18: Famílias Roxo (seleiro) e Roriz (quiromante). Concluída em 1731.

Casa 19: Pedro Vandique (flamengo, navegador). Proprietário da casa: Piolho. Concluída em 1732.

Qualquer teoria, capaz de provar verdades básicas,
só pode demonstrar sua própria consistência
se, e somente se, for inconsistente.

2º Teorema da Incompletude,
do matemático Kurt Gödel
(1931, tradução livre)

A frase seguinte é falsa;
mas a anterior é verdadeira.

Paradoxo inspirado no problema
de Epimênides de Creta
(século 6 a.C.)

Dez realidades
não valem uma imaginação.

Joaquim Manuel de Macedo,
A misteriosa, 1872

1
O crime da rua do Egito

Começo pela testemunha: mulher, relativamente branca, perto dos seus trinta anos. Posso afiançar que é bela, como a concebo hoje; e que tem uma audácia extraordinária, como se constatará.

Não comete o crime de andar sozinha à noite — porque tal comportamento tinha deixado de ser ilegal, para as mulheres, desde quando foi bispo frei Francisco de São Jerônimo. No instante em que a surpreendemos, metida num burel surrado e cinzento dos franciscanos, caminha por entre as covas rasas do cemitério de pretos, que ficava dentro dos limites do convento de Santo Antônio, propriedade daquela ordem, no largo da Carioca.

É uma noite quente da primavera tropical: sexta-feira, 13 de novembro de 1733. O céu está praticamente sem nuvens; e a Lua, em Aquário, na casa da Morte, declina sobre o horizonte equívoco do Rio de Janeiro. Além dela, apenas Saturno é visível, muito alto, no ponto do meio-dia.

É sob tal configuração que vem andando a mulher, no seu disfarce de frade, sobre as sepulturas anônimas. Sai, então, do cemitério, apertando contra o seio um saco de estopa; mas, em vez de tomar a ladeira estreita que leva ao convento, prefere contornar a base do morro, por onde corre uma cerca de estacas, até alcançar uma brecha, meio oculta no capim, já na banda da rua do Egito.

Aquela área da cidade, naquele tempo, era relativamente pouco habitada. Ficava, na verdade, num território interdito, vedado a edificações, por estar fora do traçado da muralha que mandaram levantar depois da última invasão francesa, em 1711.

A muralha, no entanto, não chegou a ser concluída, porque muitos homens bons, e até governadores, tinham ficado contra ela, desafiando e sabotando as ordens régias. Assim, a cidade foi se expandindo, devagar, para além desse limite.

Dominavam as casas simples, quase sempre térreas, feitas por gente nem pobre nem rica. Muitos desses prédios empregaram pedras da própria muralha, retiradas de trechos onde ela ruía ou era depredada. Algumas construções eram irregulares; outras, clandestinas. Muitas abrigavam atividades proibidas e mesmo criminosas.

Com a inauguração de um chafariz, em 1723, no largo que viria a ser o da Carioca, a rua do Egito, que muito interessa à nossa trama, e que desembocava justamente nesse largo, passou a ser preferida pelos novos moradores — tanto que contava (no ano em que a história começa) com umas vinte e poucas casas, todas de frente para o morro, enfileiradas num único lado da rua, à direita de quem subia da praia.

Assim, com tais considerações, podemos voltar à mulher; e ao que ela pôde ver.

Agachada, põe a cabeça fora da abertura da cerca, para escrutinar o entorno. Além do lampião do convento, iluminado a azeite de peixe, apenas um oratório, dedicado a São Jorge, dá alguma claridade à rua. Daquela posição, à esquerda, pode observar a fachada das casas, que vão até o fim do logradouro, onde principia o rossio da cidade, pasto de vacas, cavalos e mulas. À direita, consegue vislumbrar mais algumas fachadas; o oratório; a esquina onde começa a rua da Vala; a ponte sobre a vala que dá o nome à rua; e um pedaço do largo, de onde parte a rua dos Três Cegos, já fora do seu campo de visão.

Quando faz o movimento para ficar de pé, uma porta se abre, de súbito, quase em frente a ela; e vozes masculinas vêm se misturar aos demais ruídos da noite. Não riem, não cantam, não parecem bêbados. Logo (conclui a mulher), é bem provável que estejam armados; que talvez formem um desses bandos de assassinos que, no Rio de Janeiro, andam matando por qualquer meia pataca.

A mulher (que recua instantaneamente) não sabe dizer quem são, nem exatamente quantos são. Mas sabe de onde vêm, porque conhece a casa; porque também mora ali, naquela rua.

O grupo, então, se dispersa: e a mulher intui, pela batida dos tacões, que só um deles caminha na direção do rossio, enquanto os demais (estima três) tomam o sentido oposto. Despedidas, rangido de dobradiças e ferrolhos, eco de passos que cruzam a ponte; e o ruído interminável de cães, grilos e sapos.

Ela ainda espera, alguns minutos, para ter certeza de que ninguém mais irá sair da casa que conhece; e deixa, então, cautelosamente, o esconderijo: é quando percebe, à direita, um vulto, que atravessa a ponte a caminho da rua do Egito.

De pé, já não tem como se abaixar e retornar para detrás das estacas. Qualquer movimento brusco (raciocina) iria agitar o mato e acabar por denunciá-la. Fica, assim, completamente imóvel e ereta, como se fizesse parte da cerca.

E eis, enfim, o que ela vê: um homem para diante de outra casa e dá quatro batidas leves na porta. Veste trajes finos: casaca de duas caudas, calções estufados, meião de seda até os joelhos, sapatos de fivela metálica e chapéu de três bicos. Sem demora, e sem muita surpresa, surge diante dele uma figura masculina, que ela identifica e teme, envergando capa à espanhola e botas de cano longo, dobrado à altura da canela.

O da casaca, então, puxa algo que parece ser um pedaço de papel; e ambos caminham na direção do oratório. Sob a chama do azeite, ela julga reconhecer o rosto do visitante. E, por ter reconhecido o rosto, deduz a natureza do papel. Todavia, por ter deduzido a natureza do papel, julga conhecer o seu teor. E, por conhecer o teor, não consegue imaginar um motivo razoável para que este fosse revelado ao homem da capa.

O da casaca, então, leva o texto em direção à chama, para permitir que o outro leia. Apesar do tom baixo das vozes, percebe-se que começam a discutir. A mulher, embora não consiga decifrar as frases, dada a distância que a separa deles, não compreende as razões daquela discórdia. Mas ocorre algo que ela não espera: o da casaca, de repente, saca uma pistola.

O outro, porém, reage rápido, dando um bote na direção da arma. Há uma luta breve; e, quando soa a detonação, quem tomba é o dono da pistola, o homem da casaca.

Nesse ponto, eu teria preferido narrar a fuga espetacular do assassino, que atravessa a ponte sobre a vala com a capa aberta, esvoaçante, até desaparecer na penumbra, lembrando velhos facínoras dos romances de aventura.

Mas a casa dele está ali, a poucas braças; e o que ele faz é apenas voltar, com pressa, depois de largar a pistola e apanhar o papel que havia ficado entre os dedos do defunto.

A mulher, então, aproveita a última oportunidade de abandonar o refúgio e se abrigar também em casa, antes de ser descoberta naquele hábito de frade — pois os quadrilheiros e outros moradores talvez não tardassem a acudir.

Mal termina de fechar a porta, procura esconder o saco entre os baús, antes que as outras moradoras levantem e venham até a frente, atraídas pelo barulho que virá da rua.

Disse ter começado pela testemunha. Mas é bom deixar claro que ela, testemunha, não fará denúncia: por temer o assassino; por ter com ele laços de sangue; por ter ela própria acabado de cometer um crime, talvez punível com a morte; e, principalmente, porque, para ela, não se tratava de verdadeiro homicídio: mas de um mero caso de legítima defesa.

Sobre esse último tópico, me inclino seriamente a concordar com ela (por isso relutei em abrir o romance com essa cena). Pensavam desse mesmo modo os que reviram e comentaram meus originais. Também imagino que os leitores tenham agora a mesma opinião.

Infelizmente, contudo, a opinião da maioria é quase sempre a pior.

2
A confissão de Maria Cabra

Recuo a narrativa dias antes da última cena para apresentar Maria Cabra, escrava dos frades do Convento de Santo Antônio. Para quem domina os códigos básicos da igreja romana, tal afirmação talvez pareça um erro, pois a ordem dos Menores de São Francisco não poderia, em tese, possuir bens.

Embora estivessem longe de rivalizar com carmelitas e beneditinos, o fato é que os franciscanos tinham escravos: não sei se pela irreverência ou maleabilidade própria do Rio de Janeiro; ou porque, na velha mentalidade portuguesa, o trabalho fosse coisa tão aviltante que nem mesmo aqueles frades devessem ser submetidos a ele; ou por haver alguma lacuna nas leis canônicas.

As razões, na verdade, não importam. Relevante, para a narrativa, é que o caso de Maria Cabra provocava certo escândalo: não por ser escrava — mas por ser mulher e viver entre homens votados ao celibato. Os frades eram abertamente criticados ou ridicularizados pelos moradores de toda a região vizinha ao chafariz da Carioca, que incluía a rua do Egito.

Quero chamar a atenção para um interessante pormenor, que praticamente explica o livro: o problema não era um ou outro padre, frei ou monge cometer o pecado da luxúria, fosse casualmente ou de modo contumaz. Pelo menos, não no Rio de Janeiro. Para tanto, para ratificar o mito, basta lembrar a história do primeiro bispo da cidade, dom José de Barros Alarcão, de viril memória, que não teve apenas mulher — mas três mulheres e vários filhos que ele mesmo batizava, com nomes de papas.

O problema verdadeiro, portanto, não era concreto, não era objetivo. Não era a possibilidade de Maria Cabra vir a ter um frade como amante: era a simples presença feminina numa casa conventual — porque o corpo da mulher (naquela metafísica) contaminava e corrompia, por sua mera existência, a fraternidade inteira.

Isso durou até o início de 1733, meses antes do crime que nos concerne, quando o novo provincial decidiu proibir Maria Cabra de permanecer à noite entre eles. Poderiam tê-la alforriado; poderiam ter alugado um canto para ela dormir — mas preferiram solução um tanto menos franciscana: permitir que trabalhasse por conta própria (sem prejuízo dos seus afazeres) e custeasse com seus ganhos alguma moradia, fora do convento, fazendo esmola (naturalmente) do dinheiro que sobrasse.

É nesse ponto que Maria Cabra passa a interessar à trama do romance: porque ela foi residir na rua do Egito, na casa da viúva Leonor Rabelo. E, já que mencionei Leonor, convém falar um pouco mais da rua.

Disse que a rua do Egito, naquela época, tinha apenas construções do lado direito de quem vinha da praia, sendo o lado esquerdo, na base do morro, ocupado pela cerca que demarcava a propriedade da ordem de São Francisco. Para facilitar a narrativa, peço aos leitores tolerância com uma pequena licença ficcional: identificar as casas da rua por números, em ordem crescente, a partir da que fazia esquina com a rua da Vala. Digo se tratar de uma licença porque o sistema de numeração de prédios no Rio de Janeiro parece só ter sido implantado depois da chegada da família real.

Assim, Maria Cabra foi morar, ou mais exatamente passar as noites, na casa 8, pertencente à viúva Leonor Rabelo, pelo preço de 1$200 anuais. Era uma casa térrea, com uma porta central e duas gelosias laterais, modelo praticado em quase toda a rua. Além de Maria Cabra, Leonor tinha mais duas inquilinas: Epifânia Dias (mais conhecida como Carangueja) e Maria Pinima (ou Maria Malhada), respectivamente mãe e filha, índias que teriam sido expulsas, ou fugido, da fazenda dos jesuítas, na região onde hoje é Santa Cruz e Itaguaí.

Dormiam em redes, cada uma em sua alcova, exceto a proprietária, que preferia ocupar a sala, cuja mobília consistia em dois bancos de madeira, baús, um fogareiro, panelas e talheres de cobre, pratos e canecas de latão, uma grande moringa, uma tina, uma talha e, evidentemente, penicos. Algumas dessas peças eram de uso comum.

Apesar da pobreza, apesar do excesso de trabalho, não posso afirmar que Maria Cabra se sentisse infeliz depois da mudança. Havia certa alegria ali, na casa 8, tanto quanto na rua do Egito e no resto da vizinhança, pontuada por tavernas e por estabelecimentos ilegais, as então ditas casas de alcouce e tavolagem, onde se praticavam a prostituição e o jogo.

As mulheres tinham mais liberdade de andar nas ruas, de conversar nas esquinas; havia muita música, muita gente que gostava de dançar; e as rodas de fandango e sapateado, com guitarra e rabeca, eram comuns no rossio e nos estabelecimentos que vendiam bebidas.

Maria Cabra gostou de frequentar esse ambiente. Em casa, embora a Carangueja lhe metesse medo, tinha a proteção de Leonor, a amizade da Malhada e um pouco de dinheiro, que ia guardando mesmo com as despesas do aluguel e a obrigação das esmolas.

Isso até que o Sol ascendesse naquele dia fatídico, para encontrar, acima do horizonte, apenas a estrela da morte, o planeta vermelho, na casa dos Inimigos e dos Maus Espíritos. Falo do dia 7 de novembro, precisamente o sábado anterior ao crime.

O fandango acontecia na primeira casa, um dos raros sobrados daquela zona, que abrangia três lotes e tinha portas tanto para a rua do Egito quanto para a da Vala. Os donos moravam no andar superior, sendo o térreo uma espécie de armazém, uma quitanda de secos e molhados, com mesas para servir bebida e refeições. Como fosse sábado, as pessoas costumavam ir à rua, para não serem acusadas de judaísmo. E, por isso, o armazém estava cheio.

Descreverei essa festa (fundamental para o romance) na ocasião oportuna. Importa saber, por ora, que Maria Cabra esteve lá, nesse sábado, onde deu risadas e comeu morcelas. Tinha a companhia de Leonor Rabelo e de Maria Pinima; e foi com elas que voltou para casa, quando o Sol se pôs, já um pouco tonta, porque a viúva a tinha feito partilhar de uma caneca de vinho verde.

Foram logo para as respectivas redes, as três mulheres. Da casa 8, só a voz notívaga da Carangueja, com aquelas rezas infinitas e incompreensíveis, rompia o silêncio da rua. É quando a Cabra, de súbito, pressente alguém se aproximar; alguém que trepa em sua rede, levanta sua camisa e começa a fazer coisas; coisas contra as quais não consegue reagir.

No dia seguinte, domingo, na missa dos escravos, frei Zezinho nota que Maria Cabra não comunga. E, discretamente, exige dela uma explicação. Trêmula, traindo já a conturbação do seu estado de espírito, a moça dá a desculpa mais óbvia, que não podia receber o sacramento por ainda não ter se confessado.

Ora, frei Zezinho (por motivos que darei depois) era, dentre os Menores, o frade mais próximo, o mais afeito aos moradores da rua do Egito, gente muito desqualificada e vista com bastante reserva. Conhecia bem aquele ambiente; e deduz (sendo a Cabra pessoa cristã de boa índole, estando visivelmente tão abalada) que o pecado inconfesso era recente; e grave.

Maria Cabra, então, não resiste: narra a frei Zezinho a execranda culpa: na rede, em decúbito dorsal, reconhece sobre ela a Malhada, que lhe puxa a camisa de algodão. Está nua, a amiga. E ela, a Cabra, lânguida e perdida. Maria Pinima, assim, tem o domínio pleno: encosta nela, e se esfrega, como se fosse uma cobra.

O frade, todavia, quer minúcias, exige que Maria Cabra nomeie com precisão as partes do corpo envolvidas no ato. E a confitente emprega um rico vocabulário popular para descrever a vulva em todos os meandros anatômicos, além da sutil mecânica de fricções e encaixes que permite a cópula entre duas mulheres. Confessa que se impressionou e se deleitou com a da Malhada, completamente deserta de pelos, lisa como um rosto de criança.

Frei Zezinho pede mais: suspeita de outras práticas, cogita possibilidades, como a introdução de objetos fálicos (comuns, por exemplo, no Japão e na Alemanha), adverte que um pecado só se expurga se a confissão é completa.

Maria Cabra menciona, então, o que lhe pareceu o pior, o mais perturbador: a língua da Pinima, que lhe lambeu os mamilos e lhe subiu depois pelo pescoço, para alcançar a boca. Foi, segundo a Cabra, uma sensação indescritível: nunca antes homem nenhum, entre tantos que se serviram dela, lhe tinha dado um beijo.

O ineditismo daquilo a fez alcançar um tão alto nível de prazer que acreditou ter sido enfeitiçada. E era por esse beijo, somente pelo beijo, que não comungara. Conheceu, naquele momento, o que era o êxtase. Mas tinha um medo enorme do Inferno.

O confessor, então, a instiga a dizer mais, porque, de princípio, não crê na tese de feitiçaria. É quando Maria Cabra faz, de repente, a acusação: a Malhada podia ser bruxa — porque era filha de bruxa. Bruxa que diariamente invoca os espíritos; que revolve cadáveres em cemitérios; que faz filtros e feitiços para seduzir mulheres e endurecer os homens; que também é alcoviteira; e prostitui a própria filha.

Pasmo, apavorado, frei Zezinho escuta o nome herético de Epifânia Dias, a índia expulsa da fazenda dos jesuítas, mais conhecida como Carangueja.

3
O segredo de Leonor Rabelo

Antes de entrar no assunto principal deste capítulo, convém satisfazer a curiosidade de quem lê, particularmente dos que conhecem algo da geografia do Rio de Janeiro e não saberão apontar num mapa a rua que se chama (ou se chamou) do Egito.

Digo logo: é a célebre rua da Carioca, embora seja esta uma denominação tardia, recebida em 1808. Depois de ser do Egito, e antes de ser da Carioca, foi também rua do Piolho, alcunha de personagem um tanto lendária que ainda se apresentará (pois também está na trama do romance). "Carioca", como se percebe, é uma alusão ao largo onde ficava o chafariz alimentado pelo aqueduto que captava a água do rio homônimo.

Já mencionei, em outro livro, o Carioca original: rio mítico, fundador, dotado de potências xamânicas, de onde emergiram a bravura e a beleza dos tamoios; onde beberam piratas, marujos, aventureiros, invasores; que por vários séculos matou a sede da gente comum do Rio de Janeiro — dos cariocas, que também foram extrair dele o seu gentílico.

Poderia acrescentar algo sobre o aqueduto, que — reformado ainda no século 18 — constitui o fabuloso monumento dos Arcos da Lapa, obra colossal, o mais profundo e verdadeiro símbolo da cidade, só comparável, em grandeza, à Muralha da China.

E isso basta para que se compreenda o alcance, a transcendência, no mito da cidade, de uma rua com esse nome, tão carregado de sentidos.

Mas — e a razão de ter sido, primitivamente, do Egito?

A resposta é simples: porque a maioria de seus moradores era cigana; e esses ciganos (segundo depoimento colhido entre os seus descendentes, no século 19) afirmavam ser oriundos do Egito; guarneciam seus interiores à feição oriental; usavam em seu calão algumas palavras de origem árabe; e chamavam um dos seus gêneros musicais mais típicos de "canto egípcio". É a história que começo a contar.

Diz a crônica policial do Rio de Janeiro que em 1655 grandes hordas de ciganos baixaram acampamento no então Campo da Cidade, vasta área fora do perímetro urbano, cujo limite era a rua da Vala. O Campo era propriedade da câmara, que o destinava principalmente para rossio, ou seja, para uso livre da população.

Ciganos geralmente vêm e vão. Todavia, por terem bebido a água do Carioca, ou pela proximidade do trópico, ou pela facilidade do comércio, ou por qualquer outro motivo, esses ciganos foram ficando. Uns até tentavam pequenas excursões: a Jacarepaguá, à Fazenda Santa Cruz, a Itaguaí, a Angra dos Reis; mas logo voltavam. Outros simplesmente deixaram as tendas permanentemente armadas, naquele mesmo rossio, reprimindo instintos nômades muito mais que seculares.

Em torno de 1720, algumas dessas famílias começaram a se tornar definitivamente sedentárias. E, como fossem proibidas de morar na cidade propriamente dita, escolheram terrenos próximos da rua da Vala.

Àquela altura, existia apenas o mencionado armazém da esquina (a casa 1 na numeração do romance), que abria portas tanto para a vala quanto para o convento. É quando o cigano Aires Rabelo levanta uma casa, a casa 2, com a fachada perpendicular à vala, pois uma de suas paredes corria pegada aos fundos do armazém. Foi o embrião da rua.

Logo depois outro cigano, o velho Romão Roriz, faz uma casa encostada à do cunhado Aires, pondo na fachada o oratório de São Jorge — santo oriental e cavaleiro, como os ciganos são. Aliás, São Jorge, no Rio de Janeiro, tomou de Santo Elói o cargo de protetor dos ferreiros, tanoeiros, caldeireiros, serralheiros, latoeiros, armeiros e douradores, ofícios em que os ciganos eram especialistas;

e essa me parece ser a raiz da imensa popularidade do mártir capadócio no território carioca, maior até (suponho) que a do próprio padroeiro.

E a rua, assim, foi crescendo, até atingir aquelas vinte e poucas casas a que me referi no princípio da narrativa. Para ser mais preciso, devo corrigir a informação: quando o romance começa, a rua do Egito tinha dezenove edificações, indo até a altura onde fica hoje, aproximadamente, o Bar Luís.

Aires Rabelo não foi apenas o pioneiro da rua: foi também o primeiro a se casar com uma *gajin*, uma mulher de outra raça, uma brasileira comum: Brites Barbalha. Amor, paixão são sentimentos abstratos, muito mais teóricos do que se costuma admitir. Poucos amam, na verdade, livremente; poucos amam além de si mesmos, ou dos limites constrangedores de suas circunstâncias.

Assim, é claro que a chegada de Brites, entre as ciganas, não se deu sem resistência, porque as paixões mais espontâneas incomodam. Mas era Aires Rabelo. E, por ser Aires Rabelo, cunhado de Romão Roriz, esses ódios se camuflaram; e tudo ficou nas entrelinhas.

E veio, então, a festa. Da igreja de Santo Antônio, seguiram para o Campo da Cidade, no meio do acampamento, onde ainda morava a maioria dos parentes e até um tablado tinha sido erguido, por ser impossível dançar naqueles charcos.

É inútil descrever, em Brites, o impacto da liberdade, da alegria, sobretudo do colorido daquelas mulheres, que contrastava tanto com a tristeza ibérica. Mas era 7 de fevereiro de 1699, dia em que a Estrela d'Alva quase não brilhou e logo desapareceu, ofuscada com a ascensão do Sol.

Brites se viu, então, cercada de ciganas, que a levaram para uma enorme tenda, onde começaram a despi-la. Mas era tanta falação, tanta risada, tantos augúrios de boa sorte, tantos odores inebriantes, que Brites julgou apenas fossem banhá-la e perfumá-la para a consumação das núpcias. Era tarde, quando pressentiu: quatro mulheres já a seguravam para lhe arreganharem as pernas.

Então, enquanto se debatia, Brites Barbalha viu surgir o semblante sereno e duro de Violante Rabelo, a irmã de Aires, que acabava de se tornar sua cunhada e que vinha aplicar nela o teste de pureza exigido pela tradição.

Não direi muito mais, porque interessa pouco ao enredo propriamente policial. Mas convido o leitor a imaginar todo o drama inaugural desse casamento: Aires Rabelo, de um lado, sem compreender a razão do escândalo, já que Brites tinha sido aprovada e aplaudida; e ela, de outro, aos prantos, inconformada, humilhada pela exibição da camisa íntima com a mácula de sangue, ansiosa por fugir dali e obrigada a permanecer naquele meio selvagem até o fim da festa.

E permaneceria até o fim da vida, porque era só uma mulher e há milênios vinha sendo assim. Mas é por isso que o romance continua, pois, além de duas filhas que continuaram nômades, o casal Brites e Aires teve uma terceira, a que encabeça o capítulo: Leonor Rabelo.

Foi uma das primeiras que aprendeu a ler, Leonor Rabelo, entre as meninas da rua. Nisso, a influência principal foi a de Brites. O resto, no entanto, veio do pai, que a criou como autêntica cigana. Leonor dançava, cantava, vestia e se comportava como cigana. O calão (que a mãe compreendia mal) foi um elo forte entre pai e filha.

Desde pequena frequentava o acampamento; e ali, sob as tendas das tias velhas, se embrenhou nas artes ocultas, como a quiromancia, a ornitomancia, a piromancia, a vidência, a interpretação dos sonhos, a leitura do desenho das nuvens e, sobretudo, a das cartas do baralho cigano. Quando se casou, enfrentou sem medo a prova de pureza, guardando com orgulho a *gade* manchada de sangue.

Vem de Leonor, seguramente, uma das importantes feições que a teoria da sorte tomou no Rio de Janeiro: ler a sorte, aqui, não é revelar um futuro prescrito — mas ter a possibilidade de modificá-lo. Tira-se a sorte quando se percebe, pelos meios racionais, que o futuro provável é ruim. Tira-se a sorte para obter outro destino, que a sorte tirada define: para melhor ou pior. Ler a sorte, portanto, é uma aventura, um desafio, um duelo contra o porvir que a vida quer impor.

E Leonor tirou a sorte quando percebeu o interesse de certo rapaz do acampamento. Não queria ir sempre embora, como as irmãs. E, assim, com a sorte tirada, Aires Rabelo teve de ir a outro lugar, a outra casa da rua do Egito para entregar à filha um homem que muitas cobiçavam: Lázaro Roriz, filho de Romão e Violante.

Foi dos primeiros ciganos a se imiscuir no mercado negreiro, o marido de Leonor, arrastando consigo o pai, velho negociante de cavalos. Prosperou nesse comércio, levantou na rua do Egito a casa 8, para onde se mudou com a mulher. Mas a febre do ouro também o infectou; e ele se foi para as Minas, deixando em casa Leonor, que ainda não tivera filhos.

Isso se deu em 1726. Quatro anos depois, Lázaro volta — casado em Vila Rica com uma *gajin*: Bernarda Arrais, mais conhecida como Bernarda Moura, que estava grávida e não tivera vergonha de ir pedir a bênção a Violante.

Lázaro, então, toma posse da casa 12, então vazia, pertencente a seu irmão, Dioniso Roriz, que também já andava pelas Minas. E é nessa casa que se instala a Moura. Não quero descrever as cenas, os conflitos, toda a tragédia dessa inacreditável bigamia. Para o romance, importa apenas dizer que, em 1731, Lázaro Roriz se vai de novo, rumo incerto, abandonando dessa vez duas mulheres — até que cheguem notícias vagas (notícias que Bernarda espalhou) de que o cigano estaria morto, em Penedo do Rio São Francisco.

Não crê, Leonor, na história de Bernarda. E, num primeiro impulso, busca na arte que domina a solução daquele enigma: as figuras do baralho, contudo, são inconclusivas. Como foram inconclusivas as artes de outras ciganas: como as chamas de Águeda Roxa; as nuvens de Flora Curta; os pássaros de Rosaura Borja.

É quando envereda por outra ciência, mais tenebrosa e arriscada; nunca praticada por nenhuma outra cigana: a necromancia.

Reside nisso a importância da Carangueja, a conveniência de morar na mesma casa: é a índia quem lhe dá os primeiros ensinamentos, quem lhe descobre os primeiros segredos. O episódio da expulsão, ou da fuga da fazenda, parece estar ligado a essa intimidade de Epifânia Dias com o mundo da morte: a alcunha de Carangueja viria do hábito de revolver sepulcros.

Se mencionei tais pormenores é por desejar que os leitores liguem esses últimos fatos a eventos já conhecidos — e concluam ser Leonor Rabelo, aprendiz de necromante, a mesma mulher do cemitério, onde esteve disfarçada com um burel dos franciscanos: a testemunha do crime da rua do Egito.

4
O tesouro de Ramiro D'Ávila

O modo como introduzi a personagem de Bernarda Arrais, a Moura, pode dar a falsa impressão de que Lázaro Roriz a conhecera em Minas, lá se casando pela segunda vez e cometendo, assim, o temerário crime de bigamia, da alçada do Santo Ofício, cuja pena costumava incluir açoites, degredo ou as terríveis galés do rei, a que poucos condenados conseguiam resistir.

O primeiro ponto a ser esclarecido é que Leonor e Lázaro se casaram conforme a tradição cigana, sem sacramentarem o matrimônio na igreja. Legalmente, portanto, não estavam casados: eram apenas mancebos. Uma infração, também; mas matéria menor, de interesse da justiça eclesiástica comum.

O segundo ponto é mais relevante: Bernarda Moura não era mineira — mas natural do Rio de Janeiro. Nascera na rua do Hospício e viera residir na do Egito no mesmo ano em que Lázaro e Leonor se casam.

Embora ainda morasse, o casal, no acampamento, vinham ambos visitar os pais, que já tinham levantado suas respectivas casas. E nessas visitas, naturalmente, conheceram o vizinho da casa 4: Ramiro D'Ávila, por alcunha o Mouro, ou *El Velludo*; e sua filha, a encantadora Bernarda.

O sobrado construído pelo Mouro, de dois andares, tinha a sua imponência quando comparado às outras casas da rua do Egito. Mas inspirava, sobretudo, muitos rumores, muitas histórias, como a da existência de cômodos secretos, onde se ocultavam livros proibidos.

Havia, isso é fato, uma enorme biblioteca, certamente a maior coleção privada de livros mantida na cidade, inferior apenas às de certas ordens religiosas, como jesuítas e beneditinos. Ocupava praticamente todo o térreo do sobrado; e o Mouro não impedia que eventuais convidados folheassem os livros: padres, doutores em cânones e leis, poetas e homens de letras, físicos, matemáticos, cartógrafos, cosmógrafos — até mesmo estudantes eram recebidos por Ramiro, que parecia dominar todas as ciências e ser capaz de discutir todos os assuntos. Não sei se desconfiam, mas boa parte desses sábios era gente estrangeira, de passagem pelo Rio de Janeiro.

Descrições do interior da casa, que circulavam pelas ruas, davam ênfase particular ao último pavimento: sobre uma enorme mesa de ébano africano, ficava um mapa-múndi onde estavam assinalados naufrágios de vários navios, inclusive piratas, carregados de imensíssimos tesouros.

Haveria ainda, nesse segundo andar, onde o Mouro praticava uma espécie de magia, diversos instrumentos de observação do céu, como lunetas e astrolábios; e um verdadeiro laboratório de alquimia, com retortas, cadinhos, fogareiros, foles, bocetas repletas de pós metálicos, além de pequenas botijas de vidro, cheias de líquidos translúcidos e fumegantes.

Também havia livros no laboratório. Todavia (não é demais insistir), os títulos proibidos não seriam esses, não ficariam expostos — mas escondidos por trás das paredes. Entre tais volumes, diziam, estaria uma cópia manuscrita do Livro Negro de Salomão: o mesmo a que Washington Irving se refere em suas memórias sobre Alhambra.

Não gostaria que o leitor pensasse esteja eu imitando Irving: conto o que então se contava na rua do Egito, embora reconheça as semelhanças entre o meu enredo e as lendas da cidadela andaluza. Ramiro D'Ávila — homem enorme, de abundante cabeleira — teve, antes de Luiza Arrais, a mãe de Bernarda, seis esposas que morreram ao darem à luz seis filhos machos — machos esses que também morreram. Ou foram mortos, como reza a teoria popular: o Mouro não admitia amas dentro de casa; e ele próprio amamentava os filhos, com um odre cheio d'água.

A exceção do ciclo foi Bernarda. Cresceu, saudável e bela, até completar seus vinte anos. É quando morre Luiza, em circunstâncias obscuras. E Ramiro se muda para a rua do Egito. Pouco tempo depois, o Mouro fecha o sobrado; e parte para as Minas, levando a filha.

Não sei o que se dá em Minas, porque meu romance é sobre o Rio de Janeiro. Mas posso dizer que, no ano seguinte, 1726, é a vez de Lázaro Roriz se embrenhar na aventura mineira. Então, algo muito estranho ocorre: Ramiro volta sem a filha, em meados de 1729; e vai logo bater na porta de Romão Roriz — indagando sobre o paradeiro de Bernarda. Há acusações e ameaças, de ambos os lados, que quase chegam ao nível banal do embate físico.

Sem obter respostas, o Mouro registra em cartório a venda do sobrado, e de todos os bens contidos nele, a certo Silvério de Negreiros Cid, natural da vila de Penedo do Rio São Francisco e licenciado por Coimbra em astronomia e matemáticas, que nesse tempo não se achava na cidade. Nesse mesmo ato, constitui seu procurador o também já mencionado Piolho, que fica encarregado de cuidar do imóvel e de entregá-lo em perfeito estado ao comprador.

Então, com tais providências, Ramiro desaparece.

Em 1730, na sequência desses tenebrosos sucessos, volta Lázaro Roriz casado com Bernarda Moura, no escândalo de bigamia a que já me referi. Do sogro e pai, Ramiro D'Ávila, nenhuma notícia sabem dar. E, num primeiro momento, tentam entrar à força no sobrado, acusam o Piolho de fraude; e só se acalmam quando compreendem a natureza da atitude do Mouro: vingar a horrenda traição da filha, tirando dela a herança do tesouro.

Bernarda, então, aceita a oferta do velho Romão e se instala na casa de Dioniso. Coincidentemente, é com a volta da Moura que emerge a lenda de *El Velludo*, o fantasma de Ramiro D'Ávila, espectro enorme e de abundante cabeleira, que começa a rondar o chafariz da Carioca, a subir a escadaria do convento, a caminhar pela rua dos Três Cegos, ou mesmo pelos matos intocados do morro de Santo Antônio, sempre em torno das três horas da manhã. Nessas ocasiões, a atormentada aparição tenta se desvencilhar de uma matilha de treze cães ferozes, que lhe mordem os calcanhares.

Os treze cães, naturalmente, são seis cachorros e sete cadelas, número correspondente ao de filhos e esposas supostamente assassinados pelo Mouro — que só quis, só amou, só conservou para si a querida Bernarda, sua única menina.

Mas quero por ora me concentrar nas histórias de carne e osso: Ramiro D'Ávila teve fama de ser cúmplice de contrabandistas de ouro, de ourives clandestinos, de moedeiros falsos, de salteadores de estradas, de toda sorte de bandidos desse gênero. Por conta de todos esses crimes, nunca descobertos nem provados, teria acumulado um magnífico tesouro — alvo principal das incursões piratas de 1710 e 1711.

A lenda de *El Velludo* teve, inclusive, versões materialistas: a de que o espectro percorria a região da Carioca não por ter saudade da filha — mas para proteger ou contemplar a fortuna reluzente amealhada em vida.

Sob esse viés (digamos) um tanto prosaico, é que a venda do sobrado parece não fazer sentido. Mas é fato: em 1731, chega ao Rio de Janeiro o licenciado Silvério de Negreiros Cid, para tomar posse de um sobrado de dois andares na rua do Egito, adquirido a Ramiro D'Ávila.

Foi uma sensação, na rua, a chegada de Silvério, com seus trajes elegantes, chapéu de três bicos, peruca, bengala e anéis. Não era uma figura comum, naquela zona. Mas, em vez de uma esperada arrogância, de uma imposição de autoridade, o licenciado se aproximou com brandura e gentileza. E, num tom bastante informal, perguntou pela casa de Custódio Homem.

Não recebeu uma resposta imediata, o matemático, porque poucos conheciam o Piolho pelo nome. Foi Aires Rabelo, percebendo a agitação da vizinhança, quem veio socorrer o visitante e logo o convidou a entrar. Na residência de Aires (ferreiro cuja oficina ocupava a parte da frente do imóvel), Silvério passa mal com o calor da forja e o abafado da casa sem janelas. E pede licença para sair, tonto, com a peruca deslizando na cabeça. Na rua, é recebido com zombaria pelos moleques; e acaba rindo com eles daquela cena ridícula, a ponto de emprestar a peruca para que eles brincassem.

Tal incidente foi bastante para gerar nos moradores uma simpatia irredutível por Silvério — homem ilustre e cordial, que vinha naquele meio, de gente sem dignidade e sem categoria, e tratava todos como semelhantes.

O Piolho, contudo, teve outra impressão: o licenciado lhe pareceu desaforado e petulante. Demonstra impaciência e irritação ao remexer nos papéis para lhe entregar os que o identificavam como legítimo comprador do sobrado. Diversas vezes lhe dá o documento errado, revelando-se ofendido com o fato de ter de provar quem dizia ser. Por fim, manda o próprio Custódio vasculhar nos baús e apanhar o que quisesse.

No cartório, no dia em que passam a escritura definitiva, Silvério, com o ar arrogante de quem se sente acima da lei e da justiça, mostra tal desprezo pelo tabelião, tal desleixo com as formalidades legais, que — impossibilitado de assinar, por ter a mão direita fraturada numa queda — usa o carimbo de cabeça para baixo, obrigando o notário ao trabalho hercúleo de redigir tudo outra vez.

Na saída, o Piolho se surpreende e se irrita com o modo íntimo com que Silvério o aborda; e mais ainda com a natureza do favor que lhe pede: indicar uma mulher, qualquer mulher, a quem pudesse pedir em casamento — desde que imediatamente. Afinal, não gostava de se masturbar.

Ressentido e indignado, o Piolho sugere, com maldade, o nome de Páscoa Muniz, moça solteira, e malfalada, moradora na casa 17 da rua do Egito, que o povo mau alcunhara de Chouriça. Menciona apenas, talvez com uma velada intenção de vingança, o fato de toda a família Muniz ter sido acusada de judaísmo e perdido, no confisco, todos os bens.

É provável que Silvério ainda não estivesse ciente de todo o passado da noiva, não soubesse da má fama de Páscoa, quando se casou com ela, porque o matrimônio se deu pouco tempo depois, sem muitas diligências ou formalidades, como era comum naquele tempo.

Além de toda a maledicência que o caso da Chouriça suscitava (e que vinha suscitando desde o anúncio do noivado), outros rumores, outras especulações eclodem, com o correr do tempo, entre os vizinhos da rua do Egito: teria Silvério descoberto o tesouro de *El Velludo*? Existiria mesmo, esse tesouro?

O episódio da fratura é que suscita tal suspeita: o matemático afirmara ter caído da escada quando arrumava livros nas estantes. Mas houve boatos de que o acidente fora provocado por uma pedra da parede, quando removida para dar passagem à câmara dos livros secretos.

Ora, pessoas são, em geral, fantasiosas; e o fato de o matemático sair raramente de casa, não receber ninguém, além de gozar a vida nas tavernas, no meio da gentalha, parecia indicar que fosse mesmo dono de um tesouro.

Se parti de Ramiro D'Ávila para chegar em Silvério Cid, é por haver uma razão: é ele, o licenciado, o homem que saca a pistola e acaba sendo vítima do tiro na noite do crime da rua do Egito.

5
A virilidade dos irmãos Roriz

Se no último parágrafo dos capítulos anteriores revelei as identidades da testemunha e da vítima do crime, é fácil deduzir que neste agora irei dizer quem deu o tiro. Mas não criarei artifícios: o assassino de Silvério Cid é o cigano Gaspar Roriz, primogênito de Romão e Violante.

É Gaspar o dono da casa onde Silvério foi bater; e que surge à porta envergando capa à espanhola e botas de cano longo, dobrado à altura da canela. Quando narrei essa cena, no primeiro capítulo, afirmei que Leonor, a testemunha, "identifica e teme" essa figura masculina. Passo a explicar o último verbo.

Além dos Roriz e dos Rabelos, havia membros de outras cinco famílias ciganas assentados na rua do Egito: Borjas, negociantes de cavalos; Laços, ourives clandestinos, douradores e artistas; Curtos, armeiros e traficantes de metais; Roxos, seleiros e arrieiros; e Pachecos, latoeiros, caldeireiros e vendedores de quinquilharias.

Roriz e Borja eram as mais proeminentes, as que exerciam liderança. Não apenas por conta dos cavalos: mas por terem se especializado na briga de faca. Quando as caravanas passavam por lugarejos ermos ou pequenas vilas, onde quase não havia diversão, era costume se exibirem em público e proporem desafios, apostando contra os valentões locais.

Não preciso dizer que os irmãos Roriz se destacaram nessa arte desde muito cedo. Mas Gaspar era o melhor: certa vez, enquanto o bando acampava nas terras da aldeia indígena de Itinga, repeliu sozinho um assalto de quilombolas, matando um e aprisionando outro (que depois vendeu no engenho Itaguaí). Pouco depois, estripou seu segundo homem, ferindo ainda outros três, numa taverna de beira de estrada, em Jacarepaguá, onde fora acusado de ladrão.

Mas o medo de Leonor não advinha desses relatos épicos, que se sucediam — mas da história do casamento de Gaspar com Ângela Pacheca. É quando entra, no capítulo, Violante Rabelo.

Ângela era, dentre as ciganas da horda, a mais bonita, a mais desejada. E a beleza é uma espécie de poder. Violante, que desejava o poder, queria Ângela para o seu primogênito, porque o varão mais forte merece a mulher mais bela. Era esse o raciocínio: ela mesma, uma Rabelo, tratara de seduzir um Roriz. E ninguém dirá que isso não seja amor.

Os Pachecos, porém, dissentiam. É desnecessário fazer grandes imersões psicológicas para entender o caso:

Romão Roriz lidava com éguas e garanhões; o pai de Ângela fazia bacias e tonéis. São modos muito diferentes de conceber o universo circundante.

Volta à cena, então, o incomensurável Gaspar: violando todos os códigos, toda a tradição, invade a tenda dos Pachecos e, primeiro, ameaça o pai; depois, arrasta Ângela com ele, pondo a moça na garupa de um cavalo. Não tinha dúvida — não podia ter dúvida — de que Ângela tivesse outra vontade.

Era esse pormenor sutil, no caráter de Gaspar Roriz, o que assustava, apavorava Leonor Rabelo. Sigamos, no entanto, com a narrativa.

Roubada a noiva, o casamento se fez. E não foi outra mulher, senão Violante, quem pôs à prova a pureza da Pacheca. Mas todo esse incidente ainda não estava resolvido: duas semanas depois da cerimônia, Gaspar foi atacado, à noite, por três homens embuçados, armados de facas. Levou um corte no rosto, que lhe deixou cicatriz, mas conseguiu (como sempre conseguia) afugentar os agressores.

Durante a escaramuça, um deles foi ferido e desarmado, antes que escapasse: era um irmão de Ângela, que não traiu a identidade de seus cúmplices. Gaspar Roriz, contudo, viu a faca: lavra de Félix Curto, antigo pretendente de sua mulher.

Não podia provar, mas estava convicto de que Félix participara do ataque, pois Ângela tinha apenas dois irmãos. O incidente levou Violante Rabelo a exigir punição para Félix — que se dizia inocente, pois vendia armas a quem quisesse comprar; e não era o único homem a cobiçar mulheres.

Os Pachecos admitiram a culpa, mas negaram que houvesse intenção de assassinar Gaspar: queriam dar apenas um susto, uma surra, uma lição, para desagravar o velho Pacheco. E acusavam o Roriz de ter provocado o conflito, com o rapto da irmã.

Pela conciliação dos Borjas, ódios, brios, suscetibilidades — tudo, enfim, se acomodou, como é do espírito do Rio de Janeiro, que aqueles ciganos começavam a incorporar. Só a identidade do terceiro homem permaneceu incógnita, pois ciganos não são delatores.

Tais fatos se passaram antes de Aires Rabelo dar princípio à rua. E Félix, naquele processo de sedentarização dos ciganos cariocas, foi ocupar precisamente a casa 6, vizinha à de Gaspar. Certos acasos dispensam digressões.

Cabe de novo pôr o foco sobre Violante. Foram três filhos: Gaspar, Lázaro e Dioniso. Eram vistosos, valentes, exímios na briga de faca, sempre suspeitos de seduzir mulheres e obcecados por fazer fortuna — qualidades devidas à herança materna, ao influxo de Violante no destino dos filhos.

Escrevi certa vez um ensaio, "Virilidade feminina e poesia árabe", que trata das antigas beduínas, poetisas do deserto, cujos versos célebres incitavam os homens à guerra, à vingança, ao exercício pleno da honra e da virtude. A leitura desses poemas revela que, no primitivo mundo árabe, a virilidade se originava da mulher, que a transmitia aos homens.

Ora, sei que ciganos não são árabes. Talvez nem sejam originários do Egito, como eles mesmos presumiam ser. Mas não consigo definir Violante sem apelar para essa imagem, sem estabelecer essa analogia.

É provável que muitos discordem, que não considerem qualidade a obsessão pelo dinheiro. Mas a opinião da maioria é quase sempre a pior: para Violante, para os ciganos do Rio de Janeiro, a riqueza é apenas um resultado, um mero índice de existência, na pessoa, da qualidade superior entre todas: a sorte. Ter sorte, ser afortunado, no pensamento dos ciganos cariocas, é uma característica tão física, tão material quanto a força, a beleza, a inteligência.

E foi para praticar, para treinar a sorte, que dois dos filhos de Violante, Lázaro e Dioniso, se embrenharam nas profundezas de Minas, na corrida do ouro. Já referi por alto a história de Lázaro, o bígamo, possivelmente morto na empreitada mineira. De Dioniso, não tive notícia certa, apenas boatos circularam: das lavras, seguira em aventuras pelo Rio São Francisco, em guerra ou comércio com os tapuios, o que vinha a ser quase a mesma coisa.

Dessa tríade, só Gaspar ficou — porque já tinha descoberto outra mina: o contrabando marítimo, atividade mais tipicamente carioca. Erra quem insiste em afirmar que o Rio de Janeiro só enriqueceu, só progrediu por causa das minas. É uma tolice dupla: primeiro, porque desde o século 17 a cidade prosperava, em função do comércio exterior, da indústria naval, da pesca, dos serviços relativos ao mar e à navegação; segundo, porque nada é mais estúpido do que a ideia de progresso. Tanto que a humanidade involui; a humanidade se degenera gradativamente, num processo natural, biológico mesmo, que se tornou mais rápido com o advento das civilizações. Mas este é assunto para ensaio, não para um romance.

Capistrano de Abreu acusava os cariocas de nunca terem desbravado o interior, de nunca terem construído estradas e caminhos, como fizeram sobretudo os bandeirantes e os colonos da Bahia, Pernambuco ou Ceará. O Rio de Janeiro, segundo esse mestre, teria ficado de costas para o Brasil, aberto apenas para os estrangeiros. Ora, pergunto eu: para que caminhos se existe mar?

Gaspar Roriz logo percebeu as potências que aquele mar continha. Passou a frequentar a praia do Peixe e a de Dom Manuel; fez amigos na Alfândega e entre a marujada. Mas não seguiu o exemplo do pai; não investiu no tráfico negreiro, em que os ciganos se destacariam. Preferiu o contrabando de açúcar e aguardente de cana, ao que se somaria, pouco depois, o de pedras e metais preciosos.

A quadrilha de Gaspar operava em conluio com o dono de um trapiche, ou armazém, na rua dos Pescadores. Nem eu mesmo sei dizer como as coisas funcionavam, exatamente. Apenas que o embarque clandestino era feito nas praias fronteiras ao morro do Livramento, zona ainda muito erma, mas acessível por um caminho tortuoso e alagadiço que depois viria a ser a rua do Valongo.

Dali as caixas de açúcar e aguardente seguiam para navios que tinham entrado na baía sem licença de comércio, apenas para fazer calafetagem ou reparos em velas e cabos. Em quinze dias, contudo, partiam com a carga ilícita, passando pelos meirinhos sem despertar suspeitas.

Gaspar logo se tornou homem de confiança do contrabandista: tomava conta do trapiche, vigiava o carregamento, corrompia autoridades e recebia o dinheiro das vendas, além de atuar, se necessário, no câmbio negro. Não era um qualquer, Gaspar Roriz.

Houve, todavia, um revés: reunido com seus principais cúmplices, o cigano afirma desconfiar de alguma traição, ou de alguém que tenha descoberto a coisa e pretenda extorqui-los ou denunciá-los. Os outros não compreendem bem: a última nau com quem tiveram negócios havia passado sem problemas pela Ilha da Laje. É quando Gaspar revela ter sido seguido, há cerca de duas semanas, depois de ter deixado uma bodega da zona do porto.

Enquanto fala, avalia a reação de cada cúmplice, examina cada rosto, olha fundo dentro dos olhos de cada um deles, para saber se estava ali o eventual traidor. Tinha esse dom, Gaspar Roriz, de descobrir a verdade onde houvesse medo, como ainda se verá.

Esse encontro aconteceu na noite em que o cigano acabaria dando o tiro em Silvério Cid. Não custa retomar a cena: Leonor Rabelo se prepara para deixar a cerca dos franciscanos quando vê uma porta abrir. Recua no ato, com receio de ser flagrada naquele gravíssimo delito. Conhece a casa de onde saíram: a taverna dos Repinchos, que era também uma casa de tavolagem. Pelas vozes, calcula serem quatro homens. Um deles caminha para o fim da rua, enquanto os demais vão no sentido oposto.

Leonor desconfia que formem um desses bandos de assassinos de aluguel, que aterrorizam a cidade. É quando surge um quinto homem: Silvério Cid. Ele vai bater à porta da casa 5, a casa de Gaspar Roriz, o primo que ela tanto teme.

Gaspar aparece de capa — indício de que acabava de se recolher; de que era um dos presumíveis facínoras que saíra dos Repinchos. Não poderia conceber que o primo, mestre na briga de faca, também matasse por dinheiro — e não apenas para se defender.

Vêm, então, a discussão e o tiro. Leonor se apressa em entrar em casa, porque logo acorrerão vizinhos, atraídos pela detonação. Não tenta, não pode socorrer Silvério, para não correr o risco de lhe revistarem o saco de estopa e exporem a coisa terrível que carrega nele.

E não fará denúncia: por temer Gaspar; por ser prima dele; por ter sido um disparo acidental e em legítima defesa; para não desconfiarem do lugar onde ela estava, onde pegou a coisa terrível que enfiou no saco.

A terrível coisa, que enfiou no saco, procura agora escondê-la, rapidamente, entre os baús, como se fosse um tesouro. E é, na verdade, um tesouro: porque pode lhe apontar o paradeiro de Lázaro Roriz — se estivesse realmente morto.

6
A vingança de Silvério Cid

E não tardaram: nem quadrilheiros, nem vizinhos.

O primeiro a gritar o *aqui d'el-rei* foi Aires Rabelo, que aparece de camisola. Logo a seguir, Gil Borja, que desce a rua correndo. E vêm Romão Roriz, Félix Curto, Pedro Vandique, o Repincho da taverna, o Alarcão do armazém, ciganos Laço, Roxo e Pacheco, o velho Muniz, o afamado Piolho.

Gaspar Roriz, de peito nu e descalço, é o último a se juntar ao grupo, indagando dos quadrilheiros o que estava acontecendo. As mulheres demoram mais, porque precisam se cobrir. Exceto Violante, que sai envolta numa longa manta estampada de florais; e Páscoa Muniz, que se lança desesperada e de camisa.

Triste de ver, aquela imagem: Páscoa, com os seios trementes à mostra, debruçada sobre o corpo do marido, cercada pela indiferença de todos, mais preocupados em saber quem foi, como foi, se alguém viu, se alguém ouviu.

Durante a confusão, alguém chama certo Baltazar Henriques, morador num casarão da rua do Parto, próxima à esquina do largo da Carioca. Era um dos homens bons da cidade; e estava, então, no exercício da função de alcaide.

Depois de um inquérito informal e breve, o alcaide Henriques dá voz de prisão a Gil Borja. Soube que o suspeito, além de ser da raça dos ciganos, foi dos primeiros a chegar à cena do crime — além de ainda estar vestido com sua indumentária típica: lenço na cabeça, colete bordado de arabescos, camisa de cordão e mangas franzidas, faixa amarrada na cintura, calças compridas e botas de cano longo.

Era essa a principal evidência: não eram trajes de quem estivesse recolhido em casa.

Então, quase simultaneamente, enquanto os quadrilheiros cercam o preso, sob protestos das ciganas, sobressai outra voz: é a Chouriça quem grita, depois de beijar os lábios do morto — anunciando que Silvério está vivo.

Nova afobação, a de tirar Silvério do meio da rua. As mulheres, agora, acompanham Páscoa, enquanto dois ou três homens correm para chamar Tibuca, o barbeiro, um dos poucos vizinhos que ficou em casa.

Figura notável, esse Cosme Antunes, o Tibuca. Africano liberto, da nação caçanje, prosperou primeiro como músico; depois, como cirurgião e barbeiro. Tinha então quatro filhos do seu casamento com Tomásia, crioula mais clara. Diziam ter sido essa mulher — a crioula mais clara — a razão de haver Tibuca se transferido de um ponto bem movimentado, próximo ao largo do Paço, para aqueles confins. O fato é que a abertura da barbearia atraiu fregueses para todos os estabelecimentos da rua. Todos, portanto, gostavam do barbeiro.

Cosme Antunes era sóbrio, circunspecto. Para compreender sua pessoa (ou sua *personalidade*, como gostam hoje de dizer), basta vê-lo andar em direção à casa de Silvério. Não fala, não pergunta, não dá nenhuma importância à narrativa da tragédia. Parece ter chegado a recusar aquele socorro, cedendo apenas à pressão de Tomásia e à iminência da morte.

Disse que o Piolho não gostava do licenciado. Era também o caso do Tibuca: quando Silvério caiu e fraturou a mão, o primeiro a ser chamado fora ele, o barbeiro. O matemático fazia um escândalo; e não quis deixar que Tibuca o examinasse, além de expulsá-lo do sobrado com palavras rudes.

Natural, em doutores, tanto a moleza, quanto a má educação. Cosme Antunes se ofendeu por outro motivo: ter Silvério aparecido horas depois, com uma tala muito malposta, certamente obra de médico ou boticário português. Uma afronta, portanto, à sua ciência.

É ainda com tal ressentimento que o barbeiro entra no sobrado, afasta logo as mulheres, abre o saco onde estão suas pinças, navalhas, facas, agulhas, estiletes; e pede panos limpos, uma garrafa de aguardente, uma tina d'água — antes mesmo de dizer que não aceitará propina pelo tratamento.

A bala não havia entrado em nenhuma víscera, mas fez grande estrago ao passar pelo lado esquerdo do corpo, entre o estômago e o baço. Tibuca limpou a ferida, tentou eliminar os resíduos de pólvora, extrair pequenos estilhaços de metal. Mas Silvério tinha perdido muito sangue. Tibuca não dá esperança a Páscoa: o paciente sangrava por dentro, onde era impossível cauterizar ou fazer sutura.

Não durou três dias, Silvério Cid. E é fácil imaginar o efeito, o impacto que teve essa curta sobrevida sobre duas personagens: Leonor e Gaspar. Ela, pela dúvida de ter sido ou não identificada pelo licenciado, no momento em que atravessava a rua; e ele, pela tremenda expectativa de ser denunciado pela vítima.

É aí que o romance deve chamar a atenção de todos; é disso que advém o caráter mítico do relato; é nisso que está a biblioteca elementar: Silvério de Negreiros Cid não declarou, não quis declarar, o nome do assassino, nem ao franciscano que aplicara a extrema-unção.

Para as autoridades, alegou não ter visto o ladrão que o agredira; que tudo fora súbito demais. Diante dos vizinhos, e particularmente diante de Páscoa, permaneceu calado. Preciso enfatizar o último tópico: naqueles últimos dias, Silvério não dirigiu uma única palavra à mulher, nem mesmo para pedir água, nem mesmo na hora da morte.

Forçada pela absurda circunstância, Páscoa Muniz não teve alternativa senão aceitar o auxílio de outras mulheres. Só não queria admitir, entre elas, Leonor Rabelo.

Esse ponto exige explicação: além de Bernarda Moura, cujo interesse no sobrado tinha outros motivos, Leonor havia manifestado há tempos o desejo de consultar a biblioteca de Ramiro D'Ávila, já que (diziam) constavam dela livros de magia.

Embora fosse sujeito afável e simples, mantinha, o licenciado, a decisão inabalável de não abrir a casa a ninguém. Certo dia, porém, sem que fosse comunicada, a Chouriça se depara com a cigana, em plena sala, manipulando livros nas estantes de Silvério.

Não saberia explicar, Páscoa Muniz, a razão daquela súbita mudança — que não afetou apenas a privacidade da biblioteca, antes tão prezada, mas o próprio comportamento de Silvério. Nos últimos tempos, era verdade, o matemático parecia mais preocupado, mais ansioso, mais distante.

Assim, apesar dos protestos de Páscoa, Leonor passou a visitar o sobrado, com certa frequência, tendo permissão para mexer nos livros — até que ocorressem os eventos que se narram.

Foram as duas Marias, Pinima e Cabra, quando estiveram no quarto para trocar penicos, que advertiram Páscoa sobre a derradeira vontade do moribundo: *é Leonor que ele quer.*

E veio Leonor, então, pela última vez. E Silvério deu a ela todos os livros, toda a biblioteca de Ramiro D'Ávila. Fez esse testamento verbalmente, na presença da Chouriça, ardendo em febre, com um fio de voz que era quase impossível discernir — e parecendo se dirigir mais à mulher que propriamente à herdeira.

A cigana ensaia uma recusa; mas não diz nada, obedecendo a um gesto da outra. Não se cansava, Leonor, de admirar aquele homem, cuja generosidade alcançava o próprio assassino.

Quando deixam a cabeceira de Silvério, o constrangimento entre elas é tão denso, tão opressivo, que quase impede de se defrontarem. Leonor, no entanto, consegue articular a súplica: *deixe que a Carangueja venha vê-lo.*

Era antiga a má fama de Epifânia Dias, a índia a quem chamavam Carangueja. Contei que eram fugidas, ela e a filha, da fazenda dos jesuítas. Mas não saberia definir a nação delas. Constituíam, na verdade, uma nova etnia — mistura de guaranis, tupinambás, guaianás, moromomins — que falava a língua brasileira, cobria o corpo com panos, aprendia o catecismo mas conservava um amálgama de conhecimentos primitivos e ritos ancestrais.

Sabemos que a Carangueja alugava um canto na casa de Leonor. Embora fosse mulher de mistérios, ia aos poucos instruindo a cigana em seus arcanos, deixando escapar sua ciência. O medo que Leonor sentia de Gaspar, por exemplo, era especialmente agravado nessas conversas com a Carangueja — pois dizia a índia que todo assassino é uma espécie de feiticeiro; e feiticeiros não reconhecem o parentesco de sangue.

Quando Bernarda Moura espalhou a notícia do falecimento de Lázaro, Leonor se recusou a acreditar; e tentou conhecer a verdade, ou provar a mentira da Moura, por todos os meios a seu alcance. Sem respostas, contudo, decide recorrer à Carangueja.

É dessa conexão que deriva o episódio em que Leonor revolve covas rasas para recolher a coisa terrível que Epifânia pede: a caveira intacta de uma pessoa, ainda com restos de carne. Foi isso que Leonor escavou naquele cemitério, no dia do crime. Foi esse o outro crime que se cometeu naquele dia: o da profanação, do sacrilégio. Não se pode duvidar que Leonor amasse Lázaro Roriz.

Só não sabe, só não desconfia, que a índia deseja ser o que é Gaspar. E cede ao pedido dela; aceita sugerir à Páscoa que permita à Carangueja tentar a cura de Silvério.

Interrompi a cena entre Páscoa e Leonor no ponto em que a cigana faz a súplica: *deixe que a Carangueja venha vê-lo.* É hora de seguir: desesperada, enfraquecida, a Chouriça hesita, mas consente, por ser quase sempre assim, em situações extremas. E Epifânia é admitida no sobrado.

Não quer ninguém no quarto, que fica no primeiro andar; e manda todas descerem. Embaixo, Páscoa, Leonor, Maria Cabra e Maria Malhada escutam rezas, cânticos, ritmo de chocalho, batida de pés; também aspiram fumaça de tabaco e aroma de ervas maceradas — mas não podem adivinhar o que acontece de verdade: a Carangueja, que chupava ou mastigava alguma coisa, aproxima a boca da ferida de Silvério, já bastante tomada pela infecção — e cospe.

É um minúsculo objeto que ela expele, com o cuspe: um fragmento mínimo de osso, extraído de um crânio humano e esculpido como uma lança, como uma ponta de flecha. E esse projétil vai se encravar nas entranhas fundas de Silvério Cid.

O licenciado quase não reage, não tem mais força nem para sofrer. E a Carangueja sai, depois de aplicar sobre a ferida folhas choradas de beldroega.

Ante o olhar angustiado de Páscoa Muniz, a índia tem uma expressão cruel: fez o que pôde; lamenta terem antes preferido o socorro do barbeiro, pois agora é tarde. *Não passa de amanhã* — anunciou, como uma profecia.

Sabia coisas, Epifânia Dias.

#

Os mortos voltam para casa.

Uma parte deles, pelo menos, porque a pessoa não é uma coisa inteira.

Então, os mortos voltam. Vão voltando, vão visitando lugares por onde passaram. Nem sempre fazem isso em ordem, seguindo uma sequência invertida. Porque essa caminhada é muito dolorida, exige muito sacrifício. Os mortos, quando voltam, estão apodrecendo.

A parte que volta, podemos dizer, é a do meio. Mais ou menos a do meio: não são os ossos, não é o nome. É a sombra. É um espectro. Tem a mesma forma do corpo vivo quando morre. Mas não é tão pesada, como os ossos; nem tão leve, quanto o nome.

A sombra sofre a mesma dor da carne que apodrece. Mas anda; vai andando assim mesmo. Tem raiva, tem ciúme, tem inveja. Quer suas coisas de volta. Não consegue agir com racionalidade, com discernimento. A sombra confunde tudo.

Disse que é a parte do meio para facilitar. No meio há outras coisas, outras partes: o sangue, por exemplo. O sangue do morto se mistura com o de quem matou. Vai para o outro lado, o lado do matador. A morte nunca é natural: é sempre alguém que mata.

E a sombra segue o sangue; quer dizer: a sombra é solidária ao sangue. Por isso, começa a confundir tudo; a inverter o mundo. Quer, assim, tirar vingança dos parentes. Dos que foram parentes.

A sombra é o inimigo; é o cunhado. Vem matar; vem seduzir. Quando se levanta, quando se desgarra do corpo, já tem esse sentimento, essa vontade. Os mortos, como eu disse, voltam para casa.

Então, quando aquele morto sai da beira d'água, pensa logo na mãe; e nos irmãos. Está ferido, levou uma flechada no peito e outra no bucho. O sangue foi logo absorvido, misturado com o dos flecheiros, dos tapuios que atiraram.

A culpa foi dele mesmo, do que morreu. Vinha na canoa com seus companheiros; queriam vender, fazer escambo. Ele não falou, não esperou outro falar. Fez logo um gesto brusco, para mostrar alguma porcaria.

Não se brinca. Com quiriri não se brinca. Quiriri é selvagem, é primitivo. É que nem onça; que nem português. E atiraram nele.

Ele tombou, virou de borco n'água. Os companheiros, então, falaram. Aliás, um falou; um que sabia falar. Quiriri abaixa o arco. E alguém pula logo, para catar o corpo, arrastar para terra. Antes de as piranhas retalharem o corpo. Quem sabe, talvez fosse até melhor.

Então, ele levanta, vai se soltando da carne. Está zonzo, atordoado. Tem muita sede, muito frio; e está cego. A flechada dói. Pressente que aquela dor não vai passar. Tem muito ódio do irmão. E começa a enxergar o que gente não vê.

Aí começa a andança. E anda, mas tentando contornar o rio. Porque tem medo de entrar nele. Tem medo do povo da água: dos inimigos do fundo. Chamam para ele entrar; ele não vai. Só quando o rio dormir.

E o rio dorme. Então, ele passa. São muitas estradas. Muitas vilas, povoados, aldeias, arraiais. Encontra gente: tropeiros, garimpeiros, pescadores, canoeiros. E vai andando; vai andando sempre. Quer chegar num lugar, onde o irmão também esteve.

Demora, porque não pode caminhar de noite. Não tem fogo; não sabe fazer fogo. São inúmeros, os inimigos, os canibais que o espreitam. Mas chega, já bastante podre. É muito triste ser morto.

Pensa reconhecer certo lugar, a cachoeira, o passo do Inferno, a estalagem do Carabuçu, caminhos do desvio do ouro, valhacouto de bandidos.

A ansiedade de se vingar, de dar vazão ao ódio, é o que o torna impulsivo, imprevidente. Não encontra o irmão, não vê ninguém na estalagem de quem consiga se recordar. E sai. Mas já não pensa no irmão, porque o desejo pela mãe aumenta.

Fora, retoma a estrada. Mas não distingue a aproximação da noite. É quando se dá conta, de repente, de que está cercado. Inimigo feroz, que vemos daqui como lagartos, como se fossem os teiús. Não tem como escapar. E não resiste aos golpes, que o dilaceram.

Pouco depois, os teiús o põem num moquém. Vai perdendo a consciência, enquanto a dor diminui — até sumir.

7
A dignidade de Custódio Homem

Na época em que o romance se passa, tanto as leis penais quanto o processo criminal estavam regulados, no ultramar e no reino, pelas *Ordenações Filipinas*, que — promulgadas em 1603, quando o Brasil ainda era espanhol — vigeram até 1830, então substituídas pelo moderno código penal do Império.

Foi a legislação de maior vigência, nessa matéria, a das *Ordenações*. Célebres por sua crueldade (como a de prever a pena de morte natural para sempre), tiveram ao menos um mérito, comparativamente à justiça que se pratica hoje: eram claras, eram explícitas. Discriminavam as pessoas por raça, religião e categoria — não de forma velada, ou dissimulada, como se faz contemporaneamente — mas por obediência fiel à norma escrita.

A lei dos Felipes de Espanha, como a de seus antecessores portugueses Manuel e Afonso, cultivava especial suspeição contra estrangeiros; contra gente que andasse a pé ou trabalhasse com as mãos (peões e oficiais mecânicos); contra pessoas que não professassem o credo da igreja romana; e contra indivíduos que — mesmo sendo católicos — pertencessem ou descendessem das chamadas *raças infectas*: africanos, crioulos, pardos, mulatos, cabras, caboclos, mamelucos, índios, judeus, mouros, gentios, ciganos.

A consequência material, objetiva, para quem tivesse qualquer dessas máculas, era a restrição de vários direitos civis concedidos a cristãos-velhos com alguma fidalguia ou distinção — como o acesso a cargos públicos e eclesiásticos, a liberdade de portar armas e andar a cavalo, a inviolabilidade do lar, a prisão com homenagens, o consentimento de usar adereços com pedras e metais preciosos, a possibilidade de receber títulos e honrarias, e até mesmo o direito de apelar a tribunais superiores, em processos de pena capital.

Ora, como muitas cidades e vilas do Brasil colonial, o Rio de Janeiro tinha sido formado por essa peonada, por essas raças infectas. E a rua do Egito é bem uma amostra disso: cristãos-velhos, nascidos em Portugal, mas sem nobreza, só mesmo os Repinchos da taverna.

O Alarcão, da quitanda, embora filho natural do primeiro bispo da cidade, era parte mameluco, filho de uma "brasileira" — e não das mulheres que o pai trouxera de Portugal.

Sobre Silvério de Negreiros Cid, pouco se sabe; mas o fato de ser licenciado por Coimbra pressupõe que também fosse cristão-velho, já que a universidade não era aberta a qualquer um. Seria, assim, a única exceção.

Porque o resto eram os ciganos; as índias; os cristãos-novos; a Maria Cabra; a crioula Tomásia; o africano Cosme; a mameluca Brites; o flamengo Vandique; a moura Bernarda. Frei Zezinho, único mulato dentre os frades do convento, era por isso confessor de quase todos na rua do Egito.

Falta, no entanto, mais uma personagem: Custódio Homem, o Piolho. Tive dificuldade de incluí-lo nesse rol de raças, porque o Piolho, a rigor, não era nada.

E não era nada por haver uma lacuna na própria legislação, por inexistir um conceito, um termo para designar o natural da colônia que — tendo múltiplas origens, mas não tendo vestígios de mulato, nem de mameluco — pudesse se passar por cristão-velho. Não imaginaram, os reis de Portugal, que nos novos mundos fosse haver tanta mistura, tanto estupro, tanta bastardia.

Mas isso digo eu, que escrevo o livro. O Piolho mesmo não admitiria tal qualificação. Meses antes do crime, tinha dado entrada, no Tribunal do Santo Ofício, a um processo de habilitação a familiar, onde provava e indicava testemunhas que podiam garantir sua ascendência portuguesa e cristã-velha, pelos quatro costados.

Teve tanta fama, o Piolho, foi tão importante para os moradores da rua do Egito, que sua alcunha viria a se sobrepor à primeira denominação do logradouro, camuflando, nele, as origens orientais.

Era rábula, o Piolho. Não se sabe como aprendeu a ler; não imagino como aprendeu a advogar. Dizem os cronistas que vivia enfurnado nos cartórios, fuçando documentos notariais para encontrar problemas e propor demandas, atuando nelas como procurador. Ganhou dinheiro, mas contribuiu para a felicidade alheia. Foi o Piolho quem regularizou as propriedades da rua do Egito, onde (além do seu sobrado) tinha quatro casas alugadas. Foi, portanto, e acima de tudo, um benfeitor.

Segundo as velhas tradições, foi de tanto se imiscuir em cartórios e debulhar processos que teria recebido o nome de Piolho. Não é verdade: Custódio Homem tinha a mania de tirar o chapéu e coçar a cabeça quando pretendia argumentar.

Mas este romance não é sobre o Piolho: é sobre a morte de Silvério Cid. Vejamos, então, que papel tem nela o rábula Custódio.

Voltemos à cena do crime: apesar de residir na casa 10, o Piolho demora a sair. Acordara, é evidente, com o barulho do disparo; mas sente necessidade de estar composto. Assim, quando chega, já se reúnem em torno da vítima moradores do fim da rua, como Pedro Vandique e o velho Muniz.

Creio haver referido não ter o Piolho muito apreço por Silvério, por conta do modo distante, arrogante até, com que o licenciado ordenara fosse ele procurar documentos nos baús. Ele, Custódio, não era nenhum lacaio, recebera a comissão de Ramiro D'Ávila, estava prestando, na verdade, um favor em realizar diretamente aquela busca.

Depois, se irritara bastante com Silvério, pela absurda intimidade com que o tratou, como se fosse ele algum alcoviteiro, quando lhe pediu a sugestão de uma noiva. E mais: pela maneira grosseira, afrontosa, de mencionar explicitamente o hábito masturbatório, sendo ele, Custódio, homem que vivia sem mulher.

Mas houve outro incidente, talvez mais grave, mais desagradável. Como era costume no Rio de Janeiro, as portas das casas ficavam geralmente abertas, durante o dia, para receber ventilação e abrandar o calor. Custódio trabalhava em seus papéis, certo dia, no térreo do seu sobrado, acolhendo a brisa leve que corria pela rua. Sentiu ânsias, todavia, de ir relaxar alguma coisa num penico; e sumiu pelo corredor.

Entra, então, Silvério Cid, sem bater, sem fazer anúncio de sua pessoa. E, à espera do Piolho, fixa os olhos na grande mesa cheia de livros, processos, petições, tinteiros e bicos de pena, além de uma estatueta que servia de peso para papéis.

Quando o Piolho volta, aliviado, toma um susto com aquela presença, com aquela inspeção em seus escritos. E, pela primeira vez, altera o tom com Silvério, exigindo que imediatamente se retire. O licenciado parece surpreso com a reação, não poderia supor ter cometido indiscrição tão extrema. E pede desculpas. Custódio, habituado às conciliações, aceita.

Mas o mal estava feito: o Piolho passa a ter, em relação ao matemático, certo medo — de que houvesse lido, naqueles papéis, alguma coisa comprometedora.

Seria injusto afirmar que o rábula tenha ficado insensível diante do corpo de Silvério, estendido na rua. Constata que o ferimento é mortal, tenta consolar, conter os excessos de Páscoa, e passa logo a observar os circunstantes.

Entre estes, Gil Borja é quem mais lhe chama a atenção: está vestido, àquela hora da noite, como se ainda não houvesse entrado em casa. É quando nota a presença de Gaspar Roriz. Estranha muito a atitude indecente, a circunstância de ter Gaspar saído à rua de peito aberto, expondo os músculos, tanto tempo depois do tiro e morando apenas a duas casas de onde ocorrera o crime. A princípio pensou fosse apenas uma das exibições de força do cigano; mas tinha olhos treinados para ver o mal.

Expliquei a antipatia de Custódio por Silvério. Sentimento similar tinha ele por esses dois varões, Gaspar e Gil. O motivo, porém, divergia: o Piolho tinha inveja dos ciganos, daquela virilidade inalcançável para ele, da facilidade com que manejavam uma faca, da capacidade suprema que tinham de matar.

Creio que esse último parágrafo baste para elucidar Custódio Homem. Essa ideia — a de haver complexidade e profundeza na mente das pessoas — é uma fantasia dos que pretendem dar à humanidade um lugar de destaque na natureza: lugar que ela não tem; e não merece.

No caso do Piolho, tal lugar, como homem, como animal, era bem modesto: se limitava a usar, esporadicamente, os serviços da Malhada, sob o pretexto de vir a moça faxinar o sobrado. Preferia pô-la de quatro — não por arte, não para tirar proveito legítimo daquela posição (já clássica, entre as cariocas, desde o século 17), mas para não ter de encarar as risadinhas da Pinima. Pagava por isso uma migalha à Carangueja: afinal, além do sobrado, tinha quatro casas alugadas — e pretendia fazer outras.

Mas havia no Piolho certa masculinidade, digamos, indireta: além de suas pretensões à dignidade de familiar do Santo Ofício, mantinha e alimentava boas relações com poderosos. Era uma consequência quase natural de suas atividades de rábula.

E a prova disso é o que se vê no dia do crime, quando o alcaide Baltazar Henriques chega à Rua do Egito. Depois de reconhecer, rapidamente, a vítima, e apreender a arma do crime, é Custódio Homem a primeira pessoa a quem o alcaide se dirige, para colher pormenores. Mas o Piolho não fala: cochicha apenas, ao pé do ouvido daquela autoridade.

E anda, depois, de lá para cá; fala com um, fala com outro. Conversa com Gil; confabula com Gaspar. Vai assuntar com as mulheres: Bernarda Moura, Leonor Rabelo, Brites Barbalha, Águeda Roxa, Ângela Pacheca. Só então volta, lentamente, para perto do alcaide.

É quando este manda prender Gil Borja. O Piolho, contudo, não diz nada: mesmo sabendo, como devia saber, que aquela prisão — sem flagrante, sem mandado, sem escrivão que a registrasse — era ilegal. Mas se tratava apenas de um cigano.

Quem observasse, avaliasse atitudes do rábula, durante o tempo que durou a cena, perceberia nele um comportamento incomum. Perceberia um viés de maldade no modo como mirava de soslaio a figura imponente de Gaspar Roriz.

Talvez esse observador até dissesse, ou apostasse, que Custódio Homem sabia quem era o culpado, que conhecia a identidade do assassino. Mas que parecia, por ora, interessado em outra causa.

8
As vergonhas de Páscoa Muniz

Não surpreenderei tantas leitoras se disser que quase dois terços das mulheres presas pela Inquisição, no Brasil, residiam no Rio de Janeiro.

O dado é tão mais significativo quando comparado aos números masculinos: só um quarto dos detentos era carioca. A maioria deles (um terço) morava, naturalmente, na populosa cidade da Bahia, então capital. De uma perspectiva meramente estatística, há veemente distorção, para mais, na tabela feminina, já que o número de presas, no Rio de Janeiro, é desproporcional ao de habitantes. Para que se tenha uma noção, as baianas não alcançavam um quinto do total de mulheres detidas na colônia.

Num romance, análises importam muito pouco. A verdade está no símbolo. E essas cifras históricas definem e sintetizam o espírito do Rio de Janeiro, cidade de mulheres infratoras: cidade de amazonas.

Assim, volto minha atenção, e meu amor, para uma delas: Páscoa Muniz, a Chouriça — que, como referi, foi prisioneira dos inquisidores.

Há peculiaridades no antigo processo inquisitorial que merecem menção. Além de eventuais visitações, quando um delegado direto dos tribunais portugueses vinha à colônia apurar e julgar crimes, a atuação do Santo Ofício no Brasil se dava através de alguns comissários eclesiásticos e dos muitos familiares, em geral homens comuns: comerciantes, militares, médicos, advogados, donos de engenhos, funcionários públicos — desde que não descendessem, evidentemente, de alguma raça infecta.

Aos familiares — cargo que o Piolho tanto almejava — cabia fazer diligências, fiscalizar o cumprimento das penas, confiscar bens, denunciar e prender suspeitos. Mas o que faziam mesmo era prender e confiscar: porque a maior parte das denúncias vinha dos próprios cidadãos.

Foi assim que os Muniz, cristãos-novos, foram presos e remetidos a Lisboa, acusados de comer linguiças falsas, enchidas com carne de peru e muito temperadas para disfarçar o gosto.

Apesar da gravidade da denúncia, saíram quase todos com penas leves: cárcere e hábito penitencial, castigos espirituais, abjuração, pagamento de multas e custas do processo. Não escaparam, contudo, do confisco.

Apenas dois, no fim, acabaram perecendo: uma tia de Páscoa, considerada impenitente e negativa, foi relaxada em efígie ao braço secular, por ficar defunta nas masmorras; e o pai, doente desde o embarque, deprimido pela inexplicável sentença recebida pela irmã, faleceu pouco antes de obter remissão de sua própria pena. Foi quando receberam, Páscoa e a mãe, licença da Mesa, para voltarem ao Rio de Janeiro.

Essa descida aos infernos foi de 1725 a 1731. Páscoa não esqueceria a súbita invasão da casa pelos familiares, a prisão, o desprezo dos vizinhos, a viagem em condições degradantes, a cela, a sala do tormento, o semblante duro dos inquisidores.

Uma das singularidades desse tempo: os réus eram submetidos aos primeiros interrogatórios sem ainda conhecerem o teor da denúncia em função da qual haviam sido presos. E Páscoa, diante daqueles homens severos, tentando adivinhar do que era acusada, confessa outro crime: mantivera, no Rio de Janeiro, conjunções carnais *contra natura*, aceitando certo membro pelo vaso de trás. Achava, sinceramente, que maior pecado seria perder a virgindade e conceber um filho sem estar casada.

A vergonha maior não foi a de ter feito tal revelação; de ter narrado o ato com todos os seus pormenores; de ter de repetir de muitos modos as mesmas respostas, empregando palavras cada vez mais explícitas e que lhe pareciam impróprias num recinto sagrado — mas a de ser forçada a delatar; a dar o nome do rapaz; a jurar, sob ameaça, ter sido apenas ele, e não vários outros.

Condenada, com atenuantes, teve de abjurar e sair em auto de fé — descalça, com a cabeça descoberta, segurando uma vela na mão, completamente exposta à execração do povo. Não podia imaginar, ante tal suplício, o que ainda a esperava no Rio de Janeiro.

Os mesmos familiares que atuaram no caso dos Muniz também receberam ordens de prender o moço denunciado por Páscoa, certo Ambrósio da Cunha. Mas esses Cunhas — cristãos-velhos, influentes, fazendeiros — souberam da existência do mandado antes de sua execução; e ocultaram Ambrósio em alguma propriedade da família. O fato é que não houve exatamente processo contra ele, porque nunca descobriram seu esconderijo.

Durante o episódio, no entanto, com as buscas e inquirições que foram feitas, a história acabou ficando conhecida e comentada, pois a maledicência, a maldade, é a regra — nunca a exceção.

Quando chegam ao Rio de Janeiro, mãe e filha vão morar na rua do Egito, na casa 17, propriedade do Piolho, então alugada pelo tio — o viúvo da mulher morta em efígie. Tentava recomeçar a vida como adelo, o velho Muniz, reunindo roupas usadas e os poucos objetos que escaparam do confisco.

Na rua do Egito, Páscoa recebe o apelido de Chouriça, por ostentar publicamente seu amor pela carne de porco, na quitanda do Alarcão, onde comia ou fazia compras. Todavia, ainda que não se rosnasse mais contra os judeus Muniz, a fama de sodomita a acompanhou. Aliás, toda a família estava contaminada pela mácula da libertinagem e da luxúria — pois diziam que os dois cunhados, o tio e a mãe de Páscoa, já eram amantes antes da morte trágica dos respectivos cônjuges: que o velho Muniz costumava se deitar com a mulher do irmão.

Na rua do Egito, porém, as coisas se aplacam. O ambiente é mais leve. Quase todos ali são vítimas também. Os ciganos, particularmente — que até podiam comentar o caso, mas não se inflamavam com o mesmo ódio.

Então, numa dessas festas de ciganos, de tablado armado no rossio, onde ainda havia muitos nômades, estão também presentes moradores de toda a vizinhança, inclusive da rua do Egito: Tomásia, Maria Cabra, Maria Pinima, o Piolho, o casal Repincho e a Chouriça — que vê Gaspar Roriz tirar uma das moças para dançar. O espetáculo da dança, em si, a impressiona menos que aquela figura masculina. E mantém nela, na figura do cigano, os olhos fixos.

É quando certa Esméria Pereira, mulher escandalosa, viúva de um meirinho e moradora no largo da Carioca, que conhecia bem a história dos Muniz, nota o olhar de Páscoa na direção de Gaspar — olhar que trai uma expressão de êxtase e desejo.

Esméria, então, se aproxima do ouvido da Chouriça; e diz obscenidades para a moça, todas alusivas à sua humilhante condenação. Não preciso descrever a reação de Páscoa, que abandona a festa, amparada por Brites Barbalha — mas sob o eco das risadas, do escárnio e dos xingamentos de Esméria, já totalmente dominada pelo ódio.

Talvez seja necessário explicar melhor reação tão extrema, mesmo vinda de uma personagem secundária. Mencionei serem os filhos de Violante homens valentes, vistosos, sedutores. Gaspar, particularmente: além de ser o primogênito e o grande valentão, tinha a alcunha de Estraga-Moças. Não preciso enumerar o rol de fantasias que um nome desses pode provocar em espíritos como o de Esméria.

Toda mulher que se aproximasse de Gaspar, para a viúva do meirinho, era uma puta. E ela já havia advertido Ângela Pacheca, meses antes, na saída da igreja, sobre ter ouvido um comentário da Chouriça em relação ao cigano; ou ter testemunhado um olhar do cigano na direção da Chouriça. Esméria Pereira, que se supunha cristã-velha, não gostava de judeus.

Posso afirmar, por ora (e por ser verdade), que Páscoa se sentia atraída por Gaspar. Mas, convenhamos, outras mulheres também se sentiam atraídas por Gaspar. Gaspar Roriz, afinal, era o Estraga-Moças. Se você, marido que me lê, não acredita ou não admite que sua mulher já tenha imaginado, durante o coito, estar com um homem equivalente ao Estraga-Moças — cuidado! Inocência se perdoa; tolice, não!

Mas não julguemos o desejo de Páscoa; e muito menos a indiferença de Ângela: a hora é de lembrar Silvério Cid.

Quem me lê entende agora a maldade do Piolho, quando indica a Chouriça para noiva de Silvério. Afinal, o licenciado só queria uma mulher "porque não gostava de se masturbar". E foi tudo acertado com muita rapidez. Sequer houve pressão sobre a noiva, da mãe ou do tio: Páscoa percebeu que dificilmente haveria outra oportunidade.

E não foram infelizes: Silvério era gentil, generoso, masculino. Embora não correspondesse exatamente à imagem que fazia de Gaspar, tinha certos modos rudes, desrespeitosos, quando estava com ela. Falava muitas obscenidades, o licenciado, que a deliciavam. E tudo ia muito bem.

Até que Silvério começasse a ouvir histórias, porque o passado é parte da pessoa. Na tasca dos Repinchos, quando se comentava a prisão de uns cristãos-novos da rua da Vala, e da ruína financeira dessa família, vem à baila o caso dos Muniz. O matemático, que bebia numa mesa de ciganos, critica o Santo Ofício, abertamente, por receber denúncias sem um mínimo de provas.

Nesse momento, Mécia Repincho, portuguesa e cristã-velha, vem depositar na mesa de Silvério mais uma botija — e acidentalmente escuta essa declaração. E se intromete na conversa. Não é delatora, não deseja que os fregueses sejam mortos, como diz. Faz questão, apenas, de defender os procedimentos da igreja. E, no calor desse argumento (já que está diante de um licenciado), a taberneira cita Páscoa, cita o exemplo de Páscoa: presa sob uma acusação talvez infundada — mas ré confessa de outro crime.

Silvério de Negreiros Cid, então, quer saber que crime é esse. Os ciganos tentam dissuadi-lo a mudar de assunto. A portuguesa, arrependida, pede perdão — mas se recusa a responder; não pretende difamar nem cometer indiscrições: preza muito o doutor licenciado; e lhe quer bem.

Silvério, naturalmente, insiste. E Mécia mantém a decisão de não dizer mais nada. A tensão entre os dois chega a tal ponto que Antônio Laço, um dos ciganos que bebia com Silvério, conta tudo. Declina até o nome de Ambrósio da Cunha. E ainda revela que, na rua do Egito, ninguém ignorava aquelas ocorrências.

Esse é um dos pontos cruciais do romance, porque transfigurou, de certa forma, a vida íntima do matemático: apesar de sentir, publicamente, algum vexame, não teve coragem de pedir explicações à Páscoa, de perguntar se ela havia consentido ou se teria sido constrangida (como o próprio Antônio Laço sugeria). O fato é que essa descoberta atiça nele um ardor contraditório, um desejo ainda maior pela mulher.

Quer, Silvério, cometer excessos, impurezas, perversões. Ferve, nele, a nostalgia de velhos bordéis, de degradadas mulheres. Faz, assim, uma primeira tentativa: certa noite, caminha, ostensivamente nu, em direção à cabeceira da cama onde Páscoa, já deitada, o espera. Ela, surpresa a princípio, pois nunca vira aquilo tão de perto, compreende; e aceita. É quando cometem, juntos, a infração da *fellatio* ou *sodomia per os* — prática de inspiração diabólica que os inquisidores consideravam uma forma menor, ou imperfeita, do pecado nefando.

E não se passam muitos dias para que venha a grande abominação: depois de lambê-la entre as pernas, o licenciado, num gesto súbito, põe a mulher em decúbito lateral, de costas para ele; e — também sem pedir, também sem anunciar — vai forçando, devagar, a entrada estreita.

E a Chouriça deixa. A Chouriça parece gostar. Silvério fica extasiado, num primeiro momento. Mas quando nasce o Sol, com a constatação de que tinha sido muito fácil, o sentimento muda: ainda é paixão — mas uma paixão sombria, impregnada pela dúvida.

Páscoa não nota a mudança. Está casada; está segura; está (tentarei arriscar) feliz. E é nessa altura que Silvério destroça toda essa alegria: quando admite Leonor Rabelo no sobrado, dando a ela permissão de consultar a biblioteca.

Quem se lembra da cena da vingança, quando Silvério, no leito de morte, lega todos os livros à cigana, sem dirigir uma única palavra à mulher, pode ter achado tudo um exagero, uma construção ficcional inverossímil.

Não relatei ainda o incidente capital, que se deu no armazém do filho do bispo, no sábado anterior ao crime.

9
A ousadia dos três cegos

Creio que seja tradição ibérica o antigo costume popular de escrever pasquins. Na Bahia, em Olinda, no Recife; em Vila Rica, Sabará, São João del Rey; em São Luís; em Belém do Grão-Pará; na Vila Boa de Goyaz, São Vicente ou até Piratininga — onde quase não se falava português — pregar pasquins na porta das casas era uma prática que as autoridades mal podiam coibir.

Eram, em geral, textos anônimos, em estilo irônico ou satírico, que ridicularizavam funcionários públicos e representantes do rei, apontavam vícios e pecados de pessoas comuns, expunham adultérios, denunciavam padres.

No Rio de Janeiro, cidade tendente à acomodação, os pasquins praticamente perderam o propósito crítico, de natureza política e moral, para redundar numa espécie de crônica gaiata da vida carioca. Foi com tal espírito que surge, nas redondezas do largo onde ficava o chafariz, uma famosa brincadeira popular: o leilão de pasquins.

Antes de explicar como se dava esse leilão e mencionar o episódio que nos concerne, é necessário visitar outro importante logradouro, que desemboca naquele mesmo largo: a rua dos Três Cegos.

A rua dos Três Cegos (atual Gonçalves Dias) assim se chamava porque nela residiam, de fato, três cegos: Bento, Benício, Benedito. Não eram, como se presume, nomes de batismo. Ninguém sabia, na verdade, quem era quem — nem eles mesmos. Acima dessas denominações, prevalecia a materialidade da cegueira. Para a norma do tempo, cegos não podiam ser sujeitos.

Mas eram poetas. E moravam numa mesma casa, de onde saíam diariamente para pedir esmolas. Um ficava perto da ponte da rua da Vala; outro, ao lado do chafariz da Carioca; o último subia a escadaria do convento, para fazer ponto no adro da igreja. Parece que se revezavam, em cada um desses lugares — mas os versos recitados eram sempre os mesmos.

Há toda uma épica carioca irremediavelmente perdida, de autoria dos três cegos: *Batalha naval de São Sebastião contra os Tamoios*; *Lenda de Sumé*; *Vida de São Jorge* (que nessa versão nasce no Rio de Janeiro e, em vez de dragão, mata uma onça); *O mistério da nau Bretoa; Ruína de Vileganhão*; *Revolta da Cachaça*; *A morte do pirata* (sobre o assassinato de Du Clerc); *A demoníaca tragédia* (sobre a invasão de Du Guay-Trouin); *Nas garras do Onça* (sobre Luiz Vahia Monteiro, governador deposto por demência);

e *A incrível saga das mulheres do bispo* (sobre o mencionado dom José de Barros Alarcão).

Foi essa última peça que deu origem ao leilão de pasquins: Urbano Alarcão, filho desse bispo e dono da quitanda, ouviu, certa vez, da boca de um tenente (com quem já tivera algumas desavenças), os versos que lhe esculachavam o pai.

Ora, Urbano era cristão-velho, por parte do bispo; mas mameluco carioca, pela linha materna. Assim, em vez de enxotar o militar, que estava no armazém, vai procurar um dos cegos, que fazia ponto na rua da Vala. E encomenda a ele outro poema — uma sátira mordaz sobre a mulher do tenente.

Não consideraram, os cegos, que tal picuinha constituísse matéria de poesia. Mas precisavam da esmola; e terminaram compondo uma quadrinha, em redondilha maior. E foi essa quadra que chegou, como uma carta anônima, às mãos do destinatário.

Em pouco tempo, Bento, Benício e Benedito perceberam o potencial do negócio das quadrinhas, mais promissor, talvez, que o de pedir esmolas. Não deixavam de ser, tecnicamente, pasquins: pela natureza satírica e difamatória; e por serem feitas a pedido de alguém para atingir desafetos ou dar vazão à maldade.

Mas eram versos lacrados, secretos, cujo teor nem os próprios encomendantes conheciam. Os cegos, então, ofereciam o pasquim pelas ruas, nas tavernas, nas igrejas — publicamente, portanto: mas sempre diante de seu real destinatário, fazendo assim uma espécie de leilão, obrigando o interessado a pagar caro, a dar uma esmola generosa, se pretendesse manter o texto em sigilo.

E acontecia, muitas vezes, de alguém não pagar ou ter sua oferta superada: o pasquim, então, se tornava público e ganhava as ruas, passando a ser o divertimento preferido dos moleques — que perseguiam as vítimas, repetindo infinitamente a quadrinha rimada, como se jogassem pedras.

Assim, no sábado 7 de novembro, quando o armazém do Alarcão estava cheio — porque era muito importante, nos tempos que corriam, demonstrar publicamente desrespeito à lei mosaica —, os cegos entram.

Cabe fazer um parêntese antropológico: na cultura carioca (e brasileira) do século 18, cegos eram seres sagrados, escolhidos por Deus para estimular a caridade dos homens. Era essa a sua defesa; a razão da sua ousadia. Estavam livres, portanto, de qualquer agressão, de qualquer vingança relativa aos pasquins. Pelo menos, era esse o código.

A simples presença dos três, Bento, Benício e Benedito, provoca grande rebuliço entre os fregueses da quitanda, que riem, aplaudem, tentando ao mesmo tempo adivinhar quem seria a vítima da vez. Alarcão, meio bêbado, em função da linhagem mameluca, oferece por conta uma rodada.

E todos bebem; todos brindam: a Cabra, a Pinima; Brites, Aires, Leonor; a solitária Tomásia Antunes (porque o Tibuca não gostava de se misturar); Bernarda Moura; Violante e Gaspar (Romão roncava, encostado na parede); Vandique e Gil Borja; Félix e outros Curtos; Ângela e outros Pachecos; Plácida e outros Laços; Águeda e outros Roxos; Silvério Cid e todos os Muniz, inclusive Páscoa (que insistia para o tio, empanzinado de torresmos, permanecer um pouco mais). O Piolho também estava entre eles, mas nem bebia nem brindava.

Benedito Cego, então, anuncia seu destinatário: Pedro Vandique. Nova onda de gritos e risadas; e — antes que o flamengo fizesse sua oferta — Gil Borja põe $20 na mesa, seguido logo por Félix, que puxa $30. E os valores vão subindo: afinal, todos queriam conhecer os segredos do marujo, sujeito alegre, mas de passado obscuro e hábitos noturnos.

Os circunstantes não notam, mas quero que o leitor repare: apesar de a soma pela posse do pasquim ter atingido incríveis $100, nem Benedito nem os outros cegos encerram o pregão. Parecem esperar, parecem conscientes de que o flamengo vá cobrir qualquer montante.

E é, de fato, o que acontece: Vandique se levanta, sob vaias, e exibe a quantia absurda de $500 para resgatar seu pasquim. E faz grandes pantomimas: rompe o lacre, ameaça ler em voz alta — e guarda o papel no bolso da casaca.

Adianta-se, então, o segundo poeta, Benício Cego, e pronuncia, com o pasquim na mão, o nome de Gaspar Roriz. E tudo se repete, a balbúrdia, as gargalhadas — com uma única exceção: a do próprio Gaspar, que contrai os músculos da face, numa expressão de desafio e desagrado. Até Violante Rabelo se sente constrangida com aquele exagero, com aquele mau humor: afinal, eram apenas cegos.

Peço atenção a essa cena porque explica bem o sentimento de Leonor Rabelo em relação àquele primo: Gaspar talvez fosse o único cigano, e único morador da rua do Egito, capaz de ultrapassar certos limites, de quebrar a rigidez dos códigos, de desprezar princípios. Aquele excesso de masculinidade a assustava. Por isso sentia tanto medo dele — um medo visceral, um medo atávico.

De pé, Gaspar sustenta a expressão hostil; e declara, para que todos ouçam, que não dará dez réis pelo pasquim. Prefere, antes, ver se há homem que se atreva a comprar os versos — a não ser para dá-los de presente, selados como estavam, a seu legítimo destinatário.

Benício Cego, contudo, leva aquilo como ofensa, e rebate: *pois então vou dá-los como esmola*. E uma pequena confusão começa: Gaspar faz menção de arrancar o papel das mãos do poeta, enquanto é contido por Borjas e Curtos; ao mesmo tempo, Benedito e Bento convencem Benício a lhes dar o pasquim.

Gaspar Roriz, então, se retira da quitanda, furioso, sem se despedir. Mas o filho do bispo não aceita que a brincadeira termine em razão daquela ninharia: que o maldito Gaspar fosse tomar banho no chafariz. E anuncia, por conta, mais uma rodada. Os três cegos, que confabulavam entre si, decidem ficar. E Bento grita o nome de Silvério Cid — para os aplausos surpresos da plateia.

Não foi, naturalmente, a mesma reação de Gaspar; mas não posso dizer que o licenciado tenha ficado à vontade. Procura primeiro, com os olhos, a solidariedade da mulher; mas só então se dá conta de que Páscoa já não está na quitanda.

Confuso, perturbado pelo volume das gargalhadas, oferece $50 — e pergunta, simultaneamente, se alguém viu onde Páscoa se metera. *Foi acompanhar o tio*; *parece ter ido para os lados do convento*: foram as respostas, ambíguas e contraditórias.

Mas Silvério não tem tempo de pensar: Alarcão, bêbado como um tamoio, sob os olhares de ódio da mulher, Ana d'Almeida (a única que de verdade trabalhava), dobra a oferta. Desesperado, o licenciado tem o ímpeto de decidir logo a perigosa parada, pondo inacreditáveis 1$000 nas mãos de Bento, que agradece e o abençoa.

É a partir desse ponto que se atinge o cerne do romance. Tudo que interessa, tudo que de fato é relevante, se passa entre essas duas cenas: a do pasquim (que acabo de narrar), no dia 7; e a do tiro, no dia 13.

Antes que o matemático conseguisse se despedir, para rastrear o paradeiro da mulher, um dos moleques da rua, filho de André Pacheco, entra de súbito no armazém e aponta o dedo para o largo: acabava de ver a Chouriça, na subida do convento, de risadas com Gaspar Roriz.

O curioso da cena é que o moleque não se dirige a Silvério — mas à tia, Ângela Pacheca, que logo se levanta para lhe dar uns tapas.

O filho do bispo, então, propõe um brinde — enquanto os fregueses adivinham, ou julgam adivinhar, o conteúdo daquele último pasquim.

10
Os estigmas de frei Zezinho

Não sei se escrevi isso em outro livro, ou dei essa declaração publicamente, mas não custa repetir: para compreender o espírito de um povo, basta saber duas coisas — o tratamento que se dá aos mortos; e o código penal.

Digo isso a propósito do cemitério de pretos mantido pelos franciscanos. Naquele tempo, os enterros eram feitos nas igrejas, definidas em função da irmandade a que o morto pertencia. Participar de uma irmandade implicava contribuir financeiramente para ela, além de preencher os requisitos do estatuto, fossem de raça ou posição social.

Havia irmandades, por exemplo, que não aceitavam mulatos ou gente que trabalhasse com as mãos. Outras, entre as de escravos, discriminavam as nações, como a dos angolas, que impediam o ingresso de pretos minas. Certas irmandades tinham prestígio e eram ricas, como a da Misericórdia; outras, muito modestas, como a do Rosário dos Pretos e a de São Jorge.

Isso quase basta para definir a mentalidade portuguesa que se impôs ao Rio de Janeiro, no período colonial, e cujos efeitos perduram: diferençar pessoas por qualidades intrínsecas — qualidades essas que se vinculavam, no fim das contas, à raça e à riqueza.

Mas há outra peculiaridade nessa concepção funerária que me parece muito mais repugnante: a necessidade de enterrar o cadáver — quando mais natural seria comê-lo ou expô-lo aos urubus.

E nisso é que entra o cemitério de pretos mantido pelos franciscanos. Estavam sepultados ali os escravos que não tinham condições de pertencer a uma irmandade e cujos corpos, por isso, eram antes enterrados em covas muito rasas (a ponto de serem devorados pelos cães) ou mesmo abandonados nas estradas, nos campos, à beira dos córregos e charcos. Foi essa falha do sistema que os frades do convento pretenderam reparar, doando parte de suas terras àqueles miseráveis.

Para o romance, a importância do cemitério está ligada a frei Zezinho. São os fatos a ele relativos que vão delimitar não só o papel que o frade tem na trama — mas todo o seu destino, que se pode condensar naqueles sete dias fundamentais, entre o sábado 7 e a sexta-feira 13.

Narrei, no princípio do livro, a confissão de Maria Cabra. Frei Zezinho fica horrorizado: não com a exuberante descrição da cena da rede — mas quando a moça acusa a Carangueja de profanar sepulcros no cemitério da ordem.

Tinha ouvido tais histórias, o franciscano, sobre a expulsão das duas índias. Mas imaginava serem meras lendas, sobrevivências de antigos relatos sobre violação de cemitérios, que teriam sido comuns no Rio de Janeiro primitivo.

Talvez não acreditasse, frei Zezinho, se a denúncia se referisse a outra pessoa. Mas Epifânia, apesar de andar vestida, apesar de comungar, não deixava de ser uma selvagem — assim como ele, apesar de frade, continuava a ser mulato (como não cansavam de lembrá-lo). Fazia, portanto, sentido pleno, uma narrativa como aquela, no âmbito do pensamento dominante.

Houve, é verdade, uma profanação no cemitério dos franciscanos. É, inclusive, a cena que abre o romance. Mas isso acontece na sexta-feira 13 — depois, portanto, da confissão da Cabra, que se dá no domingo.

Frei Zezinho, contudo, está tão convicto daquela verdade que se antecipa aos fatos e vai inspecionar o cemitério, tão logo termina a confissão. Não diz, não pode revelar nada aos irmãos, nem ao provincial, dado o sigilo que tal sacramento exige. E o terror vai marcar sua semana.

Seus deleites secretos, suas grandes evasões ficam prejudicados por aquela imagem repulsiva, a da índia que revolve tumbas. Toda vez que, solitário e livre em sua cela, se dispõe a lembrar do momento em que a Pinima sobe na rede e começa a levantar a camisa da Cabra, quando pensa no beijo, quando tenta conceber a vulva lisa da Malhada e as estimulantes fricções entre as duas moças — invadem sua memória, como um castigo, como o cutelo de um carrasco, a parte final da confissão e a figura abominável da Carangueja.

Há toda uma literatura crítica, severa às vezes, concernente ao celibato imposto aos sacerdotes da igreja romana, que não convém retomar. Cabe, antes, exaltar o espírito cristão de frei Zezinho, que, em vez de fazer como o primeiro bispo e outros padres, se permitia apenas o pecado menor das poluções noturnas. E também condenar o espírito cristão de frei Zezinho, que, em vez de fazer como o primeiro bispo e outros padres, se contentava apenas com o pecado menor das poluções noturnas.

Mas não se resumiram a esse drama, na vida de frei Zezinho, os sete dias fatídicos: na segunda-feira, sobe a escadaria do convento, à procura do frade, um intranquilo e perturbado Silvério de Negreiros Cid. Há tal ânsia no semblante, tal urgência na voz, que o sacerdote se dispõe a ouvi-lo, em confissão.

O licenciado, depois de se persignar, tira do bolso um papel. Frei Zezinho examina o texto; e não demora a concluir que se trata de um pasquim, de uma daquelas quadrinhas vendidas pelos três cegos, sob o pretexto de pedir esmolas.

Constata isso; e não diz nada. Espera a confissão, para entender que função teria nela o pasquim. Silvério, todavia, continua mudo. Parece querer transferir a inciativa do diálogo para o frade. Acostumado à dor e ao desespero, o franciscano vislumbra no matemático grande tormento interior, que ele tenta em vão dissimular.

E frei Zezinho, paciente, explica, num tom brando, que a simples leitura de um papel não é bastante para a consumação daquele sacramento. Para ser confissão, ensina o frade, Silvério teria de falar, de se expor, de assumir seu pecado diante de Deus. Alega, muito sabiamente, não poder sequer considerá-los confissão escrita, pois não fora o licenciado, de próprio punho, quem redigira os versos.

Silvério, então, mexe os lábios, quase fala, chega a esboçar uma frase. Mas o que se ouve é só uma interrogação: *o que faço, frade?*

É o ponto em que começa a perder a brandura, frei Zezinho. Não consegue perceber a intenção do licenciado com aquele embuste. Pergunta, então, diretamente, se ele, Silvério Cid, comete o crime a que o pasquim alude; se é um dos rapazes referidos na quadrinha.

O matemático treme, mas parece estudar as palavras antes de responder. Irritado com tamanho despropósito, frei Zezinho decide terminar logo com aquilo, indagando, já num tom agressivo, se ele, Silvério Cid, é um sodomita.

É quando reage com veemência, o licenciado, negando o crime e pondo-se de pé: *perdão, frade; não posso; não consigo!* Frei Zezinho devolve o pasquim; mas não lhe dá a mão para beijar.

Tinha visto de tudo, o franciscano, no confessionário. Mas aquela era uma ocorrência singular: um homem pede, com urgência, confissão; está abalado mas tem medo; e por fim desiste de fazê-la — mas de fazê-la apenas conforme o rito sacramental, porque o pasquim, apesar de certa linguagem indireta e alusiva, era claro. Estava ali configurado o estigma nefando, o pecado maior *contra natura*.

Esse episódio, absurdo a princípio, só passa a ter nexo, para o frade, depois de certo tempo de reflexão. Não tinha se dado conta do problema verdadeiro; não tinha percebido o estratagema: Silvério viera apenas para sondar; para extrair dele, frei Zezinho, a informação; para descobrir a verdadeira identidade do homem que nos versos aparece referido por uma alcunha. Só mesmo na rua do Egito era possível tanta bandalheira.

Frei Zezinho, então, se revolta. Devia tê-lo repreendido à altura; devia tê-lo ameaçado com a Santa Inquisição: afinal, tal atitude — abusar da confissão, usar a confissão para fim torpe — poderia ser muito bem capitulada como crime de heresia, ou sacrilégio.

Estava, também, pessoalmente ofendido, frei Zezinho: o matemático na certa o escolhera por julgar que, sendo mulato, fosse estúpido. Mas aquilo não ficaria assim. Iria confrontar Silvério Cid; e reprimi-lo, numa próxima vez.

Mas vem, então, a sexta-feira. O licenciado é atingido mortalmente por um disparo de pistola. Frei Zezinho logo associa o crime ao pasquim. O assassino é alguém que, de algum modo, conhece o conteúdo da mensagem. Só não consegue especular quem seja.

É outro frade do convento quem vai dar a extrema-unção, porque o moribundo tem categoria. Frei Zezinho, que passa a semana vigiando o cemitério dos pretos, é o primeiro a notar, no sábado, a anunciada profanação — incidente que provoca, no convento, enorme rebuliço.

Ora, como já se disse, ninguém ignorava, nas imediações da Carioca, a fama da Carangueja, nem mesmo os franciscanos. E o processo da época, fosse penal ou inquisitorial, necessitava de muito poucas provas, de muito poucas evidências preliminares para ser instaurado.

Epifânia tem ainda oportunidade de ver Silvério no leito de morte, na cena que narrei. No dia seguinte, quando o licenciado morre, devido à infecção provocada pelo tiro, familiares do Santo Ofício, armados e acompanhados de ordenanças, invadem a casa de Leonor Rabelo — e levam presa a Carangueja.

Havia mesmo, no cômodo ocupado pela índia, restos de ossos e uma caveira humana.

11
Os dilemas de Bernarda Arrais

Em 1747, mais de uma década depois dos acontecimentos que se narram, certo Izidro da Fonseca, dono da primeira gráfica instalada no Rio de Janeiro, teve suas letras de imprensa e o resto do maquinário sequestrados por ordem do próprio rei — que ainda ameaçava de prisão qualquer outro empreendedor do mesmo ramo. Até onde se sabe, não chegou a publicar, a gráfica de Izidro, mais do que três obras, além de impressos comuns, como talonários e folhas avulsas.

É uma forma muito antiga de domínio, a restrição da inteligência. Quem tem alguma intimidade com edições desse tempo deve ter observado, nos frontispícios, que nada saía sem as devidas licenças, especialmente as do Santo Ofício. Tanto o rei quanto o papa sabiam que um texto não se imprime, na verdade, no papel.

Parece, portanto, grande inverossimilhança do romance a personagem de Ramiro D'Ávila, mouro, ou de origem moura; e dono de uma imensa biblioteca em torno da qual grassavam lendas sobre livros de magia negra. Falemos mais sobre ele, portanto.

Natural de Beja, de uma família oriunda de Granada, era de fato cristão mourisco, ou moçárabe. Diziam descender ou ter laços ancestrais com a família do célebre al-Mu'tamid, o rei poeta de Sevilha. Luiza Arrais, mulher do Mouro, teria origem nessa mesma cepa.

Com cerca de doze anos, Ramiro — que já andava nas naus — foi sequestrado por piratas turcos, no Mediterrâneo. Passou vinte anos, ou algo em torno disso, no exílio oriental — período completamente obscuro de sua biografia. Sabemos apenas que conheceu cidades, estudou ciências náuticas, aprendeu línguas. É quando consegue, de Túnis, embarcar de volta a Portugal, num lance de aventura duvidosa, quando desempenha papel de herói; ou de vilão. Já era rico quando chega ao Rio de Janeiro.

Pelos meus cálculos, sua biblioteca — imensa, para os padrões da época — não teria mais de um milheiro de exemplares: seriam cerca de oitocentos volumes, entre impressos, incunábulos e manuscritos, vazados em idiomas tão distintos quanto o árabe, o turco, o latim, o grego, o persa, o italiano, o búlgaro, o francês e o alemão. Em vernáculo, só uns poucos livros: vidas de santos, *As peregrinações*, um *Amadis de Gaula*, uma *Demanda do Santo Graal* e mais meia dúzia de títulos inofensivos.

Disse que o Mouro recebia no sobrado muitos homens cultos, que folheavam os livros, inclusive padres: nunca houve, contra ele, uma denúncia. Mesmo a coleção árabe, a maior, a mais perigosa, havia sido inspecionada em Lisboa, antes da viagem.

E a razão é simples: a grande maioria dos volumes versava sobre álgebra, geometria, geografia, astronomia, medicina, filosofia e teologia — mas teologia de autores como Santo Agostinho e Tomás de Aquino. Não havia nada parecido com um *Alcorão* ou uma *Vida do Profeta*, por exemplo. E mesmo em línguas mais inacessíveis, como o búlgaro, um exame superficial das iluminuras e ilustrações revelava serem livros pertencentes à tradição cristã.

Vem, então, a parte da história que antecipei: os seis casamentos sucessivos; o nascimento dos seis varões; a inacreditável coincidência de terem morrido todas as seis mães e todos os seis filhos; o matrimônio com Luiza; o nascimento, enfim, de uma filha; a morte da sétima esposa; a mudança para a rua do Egito. Deve conter, de fato, alguma coisa de lenda, a história de Ramiro, porque as datas desse passo são difíceis de arranjar.

Bernarda nasce entre as invasões francesas; e recebe educação diretamente do pai, que ensina a ela cálculo e idiomas. Tinha já uma boa formação quando Mouro a leva para as Minas. Não sei o que se passa lá, por se tratar, como se disse, de um romance carioca. Mas há um pormenor passível de menção: Ramiro permite que a filha escolha um dos exemplares da biblioteca, para sua distração, durante a viagem. E Bernarda opta por seu título preferido: *Kitab Alf Lughz wa Lughz*, ou seja: *O livro dos mil e um enigmas.*

Foi um impacto, para Bernarda, quando volta à rua do Egito, casada com Lázaro Roriz, e descobre não ser mais proprietária do sobrado onde morava; e onde está a biblioteca. Por sorte, para seu consolo e refúgio, ainda tinha o livro dos enigmas.

Não acredito tenha resolvido todos os problemas, encontrado as mil e uma soluções. Aqueles textos curtos, aquelas breves histórias com uma passagem ou um final secretos, a conduziam apenas a mundos possíveis, a mundos efêmeros, onde a verdade não podia ser testada; onde a verdade era, no fundo, irrelevante. Como o leitor intui, não havia, no livro de Bernarda, um apêndice com as respostas.

De todos os enigmas do livro, o mais fascinante, para ela, era o de número 496, que podemos denominar *problema das duas portas*. Faço uma livre tradução do texto:

Mussa ibn Abdallah, mais conhecido como Al-Nasir, um dos generais de Salah al-Din, ou Saladino, é levado preso ao castelo de Trípoli, o célebre Krak des Chevaliers.

Para guerreiros de alta estirpe, os cruzados davam uma oportunidade de sobrevivência. Mussa, apesar da origem humilde, reivindica esse direito, já que conquistara em campo de batalha o cognome de Al-Nasir, ou seja, o Abutre — pois se acostumara a pairar sobre cadáveres.

Os cruzados aceitam o argumento; e Al-Nasir é colocado numa cela escura, numa das galerias subterrâneas do krak, onde havia uma ânfora com água e certa quantidade de pão.

Na cela, ao fundo, havia duas portas, guardadas, cada uma, por um soldado. O prisioneiro tinha o direito de fazer uma pergunta, que seria respondida pelos dois; e escolher a porta por onde sair. Uma delas dava numa abertura fora das muralhas, onde um camelo esperava; a outra, na sala do carrasco.

Um dos soldados falava sempre a verdade; o outro, sempre a mentira. Era uma só pergunta. Mussa faz a pergunta; os dois apontam a mesma porta.

O Abutre sai pela outra; e trepa logo no camelo.

E foi mais ou menos esse o destino de Bernarda, o de confrontar dilemas de vida ou morte. Foi o destino que a moveu a se casar com Lázaro, sem o consentimento de Ramiro. Só não esperava encontrar, no Rio de Janeiro — ainda viva —, Leonor.

Nem ela, nem Violante, nem Romão, nem Gaspar, nem mesmo Leonor, ninguém na rua do Egito resolvia aquele enigma: quem era, entre as duas, a intrusa? Qual delas merecia a execração? Leonor, cigana, tinha sido a primeira, mas não dava cria; além de ser, legalmente, amancebada. Ela, *gajin*, veio depois — mas veio grávida, e casada de papel passado. Lázaro, que se dividia entre as duas casas, parecia viver outro dilema: o das minas do ouro.

E parte, Lázaro, pela segunda vez. Um ano depois, a Moura anuncia a morte do marido. Disse que Leonor não acredita em Bernarda. Não apenas Leonor: outros também. Violante, por exemplo, queria conhecer a fonte, queria ver a carta, ou interrogar o portador da notícia. A Moura diz apenas terem sido as palavras de Lázaro, a promessa de amor feita por Lázaro: se não voltasse, em dois anos, é porque estava morto, em Penedo, foz do Rio São Francisco. *Pode se casar com quem quiser* — teria sido a última frase.

Bernarda, todavia, não se casa; nem vai embora. Percebe o interesse de Pedro Vandique; mas adia o aceite. Não por medo de Gaspar Roriz, que a ameaça. Tem uma única obsessão: recuperar a biblioteca. É quando cresce, na trama, a importância dessa personagem — que se aproxima de Silvério Cid.

Foi, na verdade, um movimento duplo: Bernarda se aproxima; Silvério se afasta. Não tenta seduzi-lo, não emprega esse tipo de artimanha. Almeja, primeiro, a amizade de Páscoa. Mas a Chouriça parece ter mais medo dela que das ciganas. Bernarda Moura não consegue, nunca conseguiu, entrar de novo no sobrado.

Mas houve diálogos, houve encontros entre ela e Silvério, na quitanda do Alarcão, onde se dava quase todo o convívio social na rua do Egito. Bernarda pergunta ao licenciado quando, como, onde conhecera o Mouro. Presa num quarto de estalagem, proibida de sair, Bernarda dificilmente via os homens com quem o pai tinha negócios.

Silvério se nega a responder: eram assuntos dele e de Ramiro; não conversa para se ter com mulheres. E Bernarda insiste; faz, a Silvério, uma proposta: a de comprar os livros, ao menos aqueles que julga não fossem lidos por ele. Não acreditava que ele soubesse tantas línguas quanto o pai.

O licenciado tem uma estranha reação a essa proposta, algo entre a surpresa e o temor. A Moura sente ter tocado num ponto vulnerável, ter chegado perto do segredo, mas não consegue imaginar qual seja. Silvério passa a tratá-la com desconfiança, como se constituísse uma ameaça. E declara, enfim, que não troca, não trocará, nenhum daqueles livros por dinheiro.

Então, quase sem esperança, Bernarda suplica pela última vez: sentada ao lado dele e da Chouriça, no armazém, começa a falar de livros, começa a lembrar dos livros que lera, quando ainda morava no sobrado. Quer ouvir a opinião de Silvério, quer discutir com ele o sentido das histórias. Quer de volta, apenas, um resto de vida.

O licenciado, contudo, recusa até essa esmola.

Imaginem o que sente, Bernarda Moura, quando vê Leonor entrando no sobrado. Quando sabe que Leonor folheia livros que foram dela. É Silvério, então, quem decifra o enigma, quem aponta a mulher a ser execrada.

Quando Silvério morre, a Moura pensa ter ainda uma oportunidade: fazer uma proposta a Páscoa. Mas, para seu desespero, a biblioteca é transferida para a casa de Leonor, onde não há espaço suficiente, onde não há conservação possível, onde acabará completamente por se dissolver.

Bernarda, então, retoma o livro dos enigmas.

\##

Os mortos voltam para casa. Os encantados, não.

Porque os mortos perdem o nome quando morrem. O nome pode ir até a encruzilhada do primeiro céu, onde fica o Urubu de Duas Cabeças, e tentar passar. Pode também arriscar passagem pelo portal de pedra, entrada da terra dos antepassados, antes que as pedras fechem e o esmaguem.

O encantado, não. Um encantado não pode se aventurar nesses lugares, porque é pesado. Encantado é o morto que não consegue perder o nome na hora de morrer.

Encantados vão sem rumo, procurando a morte. Não apodrecem, como os mortos. Vão se esgarçando, perdendo os contornos, com o tempo. Não sentem dor. Têm é muita angústia, muita agonia. Essa angústia é que provoca o encantamento. Dizem, os encantados, que é melhor morrer.

A morte precisa ser aceita. A angústia, na hora da morte, não deixa o nome fugir, se separar da sombra. Isso é o encantamento, uma grande desgraça.

E os encantados vagam. Se, daqui, você chamar, você cantar, o encantado vem. Encontra um corpo e vem. E você fala com ele; e ele fala com você.

É fácil enganar um encantado, porque ele ainda tem nome. Ele acredita que é ele. Você finge que dá presentes. E ele pensa que come, que bebe, que fuma, que usa coisas bonitas. Uma maldade, isso que fazem.

Mas nem sempre é simples. Os encantados gostam da ilusão; mas às vezes têm raiva, têm inveja, têm ciúme. Há encantados que são maus, são perigosos. Como o Veludo.

O encantado Veludo é das ruas, das encruzilhadas. Mas também anda nos cemitérios, na cripta das igrejas, na margem direita dos rios, onde, dizem, fica seu grande poder.

É também muito ligado ao chão, à riqueza bruta da profundeza da terra. Tem, por isso, muito comércio com os encantados da noite, com os encantados da lama, com os encantados do lodo, com o povo do Oriente.

O Veludo é aquele que anda por aqui. Foi visto nessa banda, a primeira vez. Mas começou longe, no Carabuçu, passo do Inferno, cachoeira dos puris. No lugar onde encontrou os ciganos.

Tinha vindo do lado esquerdo, quando trouxe os outros dois: o doutor de Coimbra; e o filho da puta de Madri, uma mulher das Espanhas que deram de comer aos cães, no rio maior de São Francisco. Essa não chorou na hora da morte.

Tinham pacto de fogo e sangue, encontro marcado no além, aqueles três. E ouro, muito ouro roubado. Vieram pelas picadas, pelos caminhos do mato, fugindo das vilas maiores, em conluio com os coroados, com os puris, com os coropós.

Atravessam o passo do Inferno, com seus carregadores; e dali procuram a caverna, não muito longe do Carabuçu, na estalagem onde o Veludo esconde a moça.

Então, de noite, depois de enterrarem o tesouro, quando os carregadores dormiam no meio do mato, o filho da puta mata todos eles, um por um. O doutor sabia; o Veludo, também.

Mas traição é caminho sem volta. O Veludo chega na estalagem, trazendo os dois, e não suspeita que a vez é dele.

É quando vêm os ciganos. Conheciam o Veludo; desconfiam do filho da puta; acham estranha a presença do doutor. Mas bebem, jogam, contam histórias. Um dos ciganos pergunta pela moça; o Veludo não responde. Carabuçu é um lugar de morte.

No dia seguinte, a moça não está mais lá. Nem os ciganos. Então começa a agonia do Veludo. Ele vai atrás, rastreia as pegadas. Procura na caverna, na cachoeira, no passo do Inferno. Os puris não viram nada. Ciganos têm caminhos que ninguém conhece.

O encantamento, dizem, começa antes. O Veludo vem para casa, para ter certeza da traição. Mas a moça não estava aqui; a moça estava longe, com os ciganos. O Veludo, então, se vinga. Deixa a vingança pronta. E volta. O destino é no Carabuçu.

É o encantamento. É alguma coisa que lhe diz para esperar ali, naquele lugar. Aquele é o lugar onde vai rever a moça.

E a moça vem. Vem com um dos ciganos. Nos olhos dela, o Veludo enxerga seu destino. Está armado. E avança.

Era gente ainda, quando encontra a faca do cigano.

Veludo começou assim.

12
A fúria de Plácida Laço

Tenho andado tímido (reclamam comigo) na descrição das minhas mulheres. Particularmente das ciganas — que seriam, de certo modo, uma novidade na minha ficção; e que (me dizem ainda), por serem tão morenas, tão livres, tão coloridas, poderiam dar à minha narrativa uma virtude plástica talvez só comparável ao desfile de uma escola de samba.

Ousaria me defender, em outros tempos, alegando que este é um romance policial, onde não cabem muitas fantasias, e cuja leitura deve ser conduzida pelo cérebro. Mas estaria mentindo: ando abalado mesmo, com toda essa beleza de que me cerquei.

A começar pelas vestes: saias e sobressaias de rendas, de várias cores; camisas de mangas curtas, que expõem os braços; fitas, brincos, colares, anéis. E o véu, enfim, que apenas realça a exuberância dos cabelos. E nem cheguei a desenhar um rosto, um perfil.

Não me atrevi ainda, por exemplo, a descrever a personagem de Ângela Pacheca, a mais bela entre todas, pois isso me exigiria conhecimentos matemáticos de que não disponho. Ângela é, na rua do Egito, a mulher do *n* maior que 3, sendo *n* o número de dimensões do espaço discerníveis pelo olho humano. Ângela vai além da geometria clássica e da álgebra linear, talvez mesmo da análise complexa.

Mas isso, na verdade, não é o que me encanta, o que pode me encantar, numa mulher. É preciso que haja algo atrás dos olhos.

Nesse sentido, a mulher que me encanta, a mulher que me excita, no romance, é outra cigana: Leonor Rabelo. Várias vezes, ao escrever o nome dela, e naturalmente imaginá-la, tive de me levantar para beber um copo d'água.

Se eu, que estou aqui, que estou fora, me vejo forçado a confessar essa afeição, ou afecção (pois são sinônimos etimológicos), imaginem o quanto Leonor afeta a personagem em torno de quem se faz a trama: Silvério Cid.

É possível, é provável, que o licenciado tenha se apaixonado por ela, tanto quanto eu. Deve ter sido um fenômeno lento, paulatino, algo que foi crescendo à medida que ele se adaptava à rua e tomava intimidade com os vizinhos.

Não poderiam estar casados: primeiro, porque Leonor tinha convicção de que Lázaro era vivo; segundo, porque o próprio matemático se precipitara, nesse campo.

Lembro que, tão logo tomou posse do sobrado, pediu ao Piolho a indicação de uma mulher, qualquer uma, solteira ou viúva — porque tinha pressa e não gostava de se masturbar.

Assim, não restaria a ele, depois de casado, em relação a Leonor, mais do que essa solitária alternativa. Mas isso foge ao interesse do romance.

O fato é que houve uma aproximação, ou antes, a atração de Leonor, para o sobrado, depois das cenas íntimas, e já narradas, entre Silvério e Páscoa. Recordemos como aconteceu: a cigana, ouvindo dizer que a biblioteca tinha livros de magia, pede a Páscoa, uma vez, e a Silvério, outras vezes, licença para ver a coleção. O matemático nega sempre. E Leonor desiste.

Então, sobrevém o inesperado: certo dia, vindo a cigana do convento, Silvério a aborda, docemente, na escadaria; e a convida a visitar o sobrado, a consultar a desejada biblioteca. O modo como usou as palavras, a entonação da frase, poderiam, hoje, ser tomados por assédio. Mas Leonor não percebeu; ou fingiu não perceber.

Sabemos não existirem, na biblioteca de Ramiro D'Ávila, os livros de magia; ou que ao menos não estavam à vista. Leonor se perde naquele mundo de idiomas ocultos e indecifráveis, até encontrar uma *Paixão de Santa Cecília*, texto vernáculo que começa a ler, com certo custo, dada a sua pouca prática.

É impossível não fazer um paralelo com Bernarda: eram, a cigana e a Moura, das poucas moças letradas naquela zona da cidade — justamente as duas que moveram o sentimento de Lázaro Roriz. Isso pode dizer muito sobre a natureza do cigano. Mas é tarde, contudo, para pensar em Lázaro.

Algumas vezes, recostados em suas almofadas, Silvério e Páscoa assistiam ao lento esforço da viúva para vencer as páginas da *Paixão*. Mas, uma vez, ficando a sós por um momento com o licenciado, Leonor (que pensava no marido) deixa escapar o comentário: *quem tem livros nunca está sozinho*. Silvério, que a essa altura já manifestava a referida adulteração de humor, retruca: *pois estes livros são minha prisão*.

Então, vem um episódio capital para a intriga: numa atitude inusitada e, de certo modo, audaciosa (pois nem Aires nem Violante aprovavam a amizade entre a viúva e o matemático), Silvério Cid vai bater à porta da cigana, para que lhe ponha as cartas.

É fácil adivinhar o objeto da consulta: Páscoa Muniz. Não faz perguntas, o licenciado: quer descobrir, quer devassar o coração da mulher — pois é frequente, nos homens, esse pavor do passado.

Exímia naquela arte, Leonor Rabelo dispõe o baralho; manda que ele tire cinco cartas; e lê: *a dois homens quer bem: um tem mãos sujas de ouro; o outro, de sangue.*

Calculem o impacto dessa exegese, em Silvério, e começarão a compreender o livro. Treme, a própria cigana, ao revelar o que dizem as figuras do Namorado, do duque de copas, do cavaleiro de ouros, do ás de espadas — que rodeiam o décimo sexto e mais terrível arcano: o da Torre de Babel.

Para iniciados no esoterismo cigano, posso ter antecipado, sem querer, a solução do crime. Mas não há tempo de voltar atrás. Cabe recordar o momento em que Leonor, colada à cerca dos franciscanos, vê Silvério mostrar um papel a Gaspar — papel que (deduz) é o pasquim composto pelos três cegos.

Não compreende, a princípio, a ousadia do licenciado: afinal, era Gaspar Roriz. Mas tudo passa a fazer sentido, novamente, quando o matemático saca a pistola. Leonor também julga compreender a razão de o primo, depois de tomar a arma e atirar, ter arrancado o pasquim das mãos da vítima, antes de se refugiar em casa.

Mencionei, lá no início do romance, que a cigana cria ou reconstitui um enredo — enredo esse que dá harmonia e coerência a tudo: às cartas, ao pasquim, ao crime. É o enredo em que pensam todos, tenho certeza, nesse ponto da narrativa. Mas volto a advertir quem lê: a opinião da maioria é quase sempre a pior.

E vem, então, o momento em que a vizinhança acorre. Leonor reconhece a estratégia de Gaspar, que aparece descalço, de peito nu, como se tivesse acabado de se levantar. É, todavia, um disfarce excessivo para quem chega tão tarde: tanto o Piolho quanto outros observadores pressentem naquilo uma trapaça.

Não é o caso, naturalmente, do alcaide Henriques, que leva preso Gil Borja. É quando se alça, intrépida e voraz, a fúria de Plácida Laço.

Outra bela, dentre as belas, a cigana Plácida, grande intérprete de sonhos, que — precisamente em função dessa virtude — compreendia ainda melhor a realidade. Plácida acorda, na noite do crime, quando Gil volta da rua. Moram no fim do logradouro, na casa 16. Não escutam, portanto, quando o licenciado bate à porta de Gaspar.

Gil Borja é homem honesto, ao menos com a mulher: não esconde seu encontro com o filho de Violante, e mais dois cúmplices, na taverna dos Repinchos, que dura até aquela hora. Revela isso enquanto bebe da moringa, antes de se despir. Aí explode o tiro. Gil sai, de imediato, enquanto ela se veste e tranquiliza as crianças.

Logo, bastou a Plácida ver Gaspar de peito nu para deduzir estar diante do assassino. Por isso a fúria, quando prendem, injustamente, seu marido. Mas Plácida era boa; Plácida era solidária à dor: não tenta fazer o licenciado falar, quando Páscoa anuncia que ele ainda estava vivo. Tentou depois, é verdade, quando todas se revezavam para cuidar do moribundo, arrancar uma palavra de Silvério. Mas como ele não falasse nada, e sequer se dirigisse à mulher, também compreendeu o motivo do crime; e desistiu.

Mas não podia perdoar Gaspar. E foi, assim, confrontar Violante. A mãe dos três Roriz vacila: também percebeu, também adivinhou o que tinha acontecido. Não admite, no entanto. Protege, obviamente, o filho. Mas está constrangida; está sem ímpeto. E isso é bastante para que Plácida se arme, se fortaleça, tenha certeza; e convoque as ciganas para sua causa: Gaspar Roriz tinha obrigação de livrar Gil Borja da cadeia.

Não exigia que admitisse a culpa: queria que Gaspar testemunhasse ter estado com Gil na taverna dos Repinchos; declarar que o marido não andava armado, nem tinha pistola; dizer que se despedira dele e o vira caminhar na direção de casa.

Esse movimento atinge, diretamente, mais três mulheres, além de Violante: Mécia Repincho, Leonor Rabelo e Ângela Pacheca.

Conforme a ordem da minha preferência, explico, primeiro, Leonor: é testemunha ocular — mas estava no cemitério dos pretos, tinha profanado sepulturas e roubado uma caveira, ainda com um pouco de carne. Não pode contar o que viu: nem mesmo para expor sua teoria, a de ter sido em legítima defesa.

Leonor, então, se torna herdeira da biblioteca. É um escândalo, na rua do Egito, como teria sido em Ítaca, se se revelasse que Penélope aceitara, em sua cama, um daqueles pretendentes. E Plácida investe contra ela, porque supõe que Leonor detenha segredos; que seria impossível não haver Silvério revelado alguma coisa a ela — até porque o licenciado havia sido visto entrando em sua casa, completamente transtornado, na véspera do crime.

Não sabem que ela é testemunha; pedem apenas que invente uma mentira, apoiada no fato de ser íntima e herdeira do morto; que suponha inimigos, que invente uma história qualquer para afastar a suspeita contra Gil. Afinal, Silvério Cid estava morto; não faria nenhuma diferença.

Mas Leonor resiste; Leonor não tem coragem de mentir. Como Ângela Pacheca, a segunda na minha sequência, que também resiste; que não tem coragem de dizer a verdade.

É outra que conhece o assassino: é casada com ele. Também acorda, quando ele entra, voltando dos Repinchos; e se assusta, ao ouvir batidas na porta.

Gaspar sai de novo, para encontrar Silvério. Ângela vem para a sala, fica colada à gelosia, para surpreender o diálogo. E se exaspera, fica tomada pelo ódio, quando o licenciado acusa o marido de lhe pôr os chifres; de ter comido a judia Páscoa. Pensa em sair, para tomar satisfações — mas vem o tiro; e Gaspar volta.

Em casa, ao se deparar com a mulher, que indaga por que não se contentou em tomar a pistola, Gaspar se defende: *tive de matar*. E dá a ela o pasquim.

Mas também vacila, Ângela, como vacilou Violante, quando Plácida, já com apoio ostensivo de Flora Curta e Águeda Roxa, exige dela a verdade; que ela relate, àquele conselho de ciganas, o que houve na casa, na noite do crime. E pressione, enfim, Gaspar Roriz.

Mécia Repincho é a última da minha fila: não direi que seja feia, porque tal qualidade não se aplica a mulheres. E Mécia tem, até, atrevimento. Mas é sonsa, é hipócrita, rouba no corte do paio e na dose do vinho. Plácida quer obrigá-la a declarar que Gil Borja esteve na taverna, na noite do crime, na companhia de Gaspar Roriz; e que tomou depois a direção de casa.

Mécia, única cristã-velha da rua do Egito, era pobre e portuguesa. O marido, Manuel, além das mesmas origens, e mesmas qualificações, tinha ficado meio inválido. Na tasca, alugada ao Piolho, quem trabalha, de verdade, é ela.

E Mécia Repincho não vacila; não se sente constrangida, com a ameaça velada das ciganas. Não tinha nada de seu — mas tinha raça. Tinha raça limpa.

E diz que sim: que dará seu testemunho — mas não pela metade. Dirá, diante do rei ou do papa, com todas as letras do alfabeto, que Gaspar Roriz esteve com Gil Borja e outros dois comparsas em sua taverna, pouco antes de atirarem no doutor. E que ela ouviu uma conversa sobre traidores, que haveria um traidor na quadrilha deles: quadrilha de contrabandistas, que faz carregamento clandestino de aguardente em navios estrangeiros ancorados na baía.

13
A memória de Pedro Vandique

Defendi, em 2006, num livrinho chamado *O movimento pendular*, a tese de que o conceito de sociedade, surgido na alta pré-história, deriva diretamente do desenvolvimento da noção de adultério — e não do incesto, como se costuma apregoar.

Não vou, naturalmente, reproduzir aqueles argumentos: só quero ressaltar a importância capital dessa instituição multimilenar, tanto para as ciências humanas, quanto para as artes. Sem adultério, ainda seríamos macacos. Sem adultério, não teríamos a *Ilíada*, nem *As mil e uma noites*, nem os versos mais belos do *Inferno*, muito menos o arcabouço genial do *Dom Casmurro*. E este é, me parece, um bom critério de humanidade.

Mas meu volume de 2006, além desse viés antropológico, abordava o fenômeno principalmente em seu aspecto matemático. Minha preocupação, na época, era elaborar uma teoria geral do triângulo amoroso. Faltou, assim, naquela análise, um elemento fundamental, que não pode mais ser omitido em estudos ulteriores sobre o tema: a influência da geografia.

Nos modos de vida mais arcaicos, que dependem da caça e da coleta, quando a comunidade se dispersa e se desgarra, o adultério é um delito relativamente fácil de ser cometido: basta haver um matinho por perto — e tudo se consuma com bastante discrição.

Por isso, a geleira dos esquimós e o deserto dos beduínos (onde é mais difícil se esconder) são considerados, universalmente, meios inóspitos, pouco favoráveis à adaptação humana.

Com a agricultura, a criação de animais e a subsequente diminuição da mobilidade individual, a coisa foi se complicando, para todos. E piorou de vez, com o advento das cidades.

O urbanismo, a civilização (para usar o termo em seu sentido etimológico), teve duas consequências sérias: o agravamento da punição aos adúlteros (às vezes com alto grau de crueldade); e a emergência da prostituição feminina — raiz da desigualdade de direitos entre homens e mulheres, que iria se estender a outros campos e ainda se mantém.

Condições ideais de segurança, para adúlteros, só mesmo em cidades muito populosas e de topografia complexa — com becos, ladeiras, bairros proibidos, policiamento escasso e pouca iluminação.

O Rio de Janeiro, no princípio do setecentos, não tinha muito mais de vinte mil habitantes, ainda não evoluíra para tal estágio. Dispunha já de muitos daqueles elementos; mas ainda era uma cidade perigosa, pois a Inquisição havia inoculado nas pessoas o vício da denúncia. Naquele tempo, todos cuidavam da vida alheia. Todos viam tudo.

As mulheres, quanto mais alto fosse o segmento social a que pertencessem, mais confinadas costumavam viver, saindo às ruas apenas para ir à missa ou assistir a procissões em dias santos. Viajantes que passaram por aqui atestam que, mesmo em bailes oferecidos por autoridades do governo ou famílias fidalgas, não se viam mulheres: havia homens especialmente travestidos, para servirem de par em contradanças.

Como explicar, assim, a vocação adúltera do Rio de Janeiro?

Ora, no momento de sua fundação, em 28 de fevereiro de 1565, pouco depois da primeira hora da tarde (consoante pesquisas recentes de Maurício de Abreu e Nireu Cavalcanti), o Rio de Janeiro tem Vênus, Marte e Lua na oitava casa — lugar do Sexo, da Morte, de tudo que é oculto e inconfessável. Não conheço configuração que tão bem expresse os destinos da cidade.

Então, retomando o romance que se narra, cabe evidentemente a pergunta: dado tal influxo celeste, em que lugares seria possível a ocorrência de adultérios protagonizados por moradores da rua do Egito, em 1733?

Do ponto de vista da geografia física, muito difícil: eram ainda poucas casas, todas próximas, quase todas de portas abertas, onde funcionava alguma espécie de comércio ou prestação de serviços. Havia ainda a influência do entorno, que dava muito espaço, muita abertura à paisagem: o convento, o largo da Carioca e a rua da Vala — bem mais ampla que as demais ruas da cidade, precisamente por causa dessa vala.

No que tange à geografia humana, contudo, a rua do Egito era singular, devido à imensa liberdade das mulheres. As ciganas, por exemplo, iam às ruas quase todo dia, para ler a sorte.

Outras, como Brites Barbalha, que trançava redes, e Tomásia Antunes, que fazia doces, também saíam para entregar encomendas. Do mesmo modo, Páscoa Muniz, que auxiliava o tio, indo buscar trastes velhos para o adelo; ou apanhando e levando roupas que a mãe consertava. Diziam, inclusive, da mãe e do tio, que aproveitavam essas ausências de Páscoa para fornicar.

Com menos oportunidades, nesse âmbito, apenas Mécia Repincho e Ana d'Almeida, presas a seus respectivos estabelecimentos. Além, é claro, de Bernarda Moura — que era, de fato, prisioneira dos Roriz.

Quando Bernarda declara sua pretensa viuvez, ninguém acredita. Ninguém aceita. Romão Roriz, forçado (como sempre) por Violante, proíbe que ela deixe a rua do Egito com o neto — até que houvesse certeza, até que emergisse alguma prova do óbito de Lázaro.

Houve um acordo, então, em relação à Moura. Embora fossem sustentadas, as mulheres de Lázaro, pelo sogro (que enriquecia, como tratante de escravos), um aspecto as diferençava: Leonor era cigana, tinha raízes ali, morava ao lado dos pais; já Bernarda era completamente órfã: não tinha irmãos, não tinha parentes — a não ser, talvez, tios distantes, numa intangível Granada.

Romão considerou o caso — e permitiu que a Moura fosse embora se no prazo de um ano o filho não voltasse: afinal, não tinham notícias de Lázaro desde 1731. O articulador desse ajuste, o defensor de Bernarda, é uma das personagens seminais do romance, que até agora pouco apareceu: Pedro Vandique.

Era malandro, o flamengo. Porque a malandragem, a malandragem verdadeira, é a dos portos. Navegou, Peter van Dyck, pelos três oceanos; mas nunca amou o mar: amava o cais, amava as cidades portuárias, que admitem mais naturalmente a ubiquidade do mal.

Vandique amou o Rio de Janeiro; e desejou, como mulher, Bernarda Arrais (que, como ouviu dizer, seria já viúva). Mas não se dirigiu diretamente a ela. Soube respeitar os códigos ciganos; e conversou, primeiro, com Romão, com quem já tinha, no porto, alguns negócios. Esse trato, no entanto, desagradou profundamente outra importante personagem: Gaspar Roriz.

Insuflado por Violante, acostumado a desrespeitar o pai, Gaspar vai confrontar o flamengo. O diálogo é áspero, ameaçador — e inconclusivo: o cigano percebe que o outro não tem medo; que está disposto a esperar Bernarda.

Então, algo acontece; algo fundamental acontece: uma daquelas mulheres — daquelas mulheres da rua do Egito — aproveita uma circunstância qualquer de proximidade com o flamengo (no armazém do Alarcão, na escadaria do convento, no largo da Carioca) e o adverte, discretamente: que Gaspar é homem muito perigoso; que é um cigano mau; que mata à toa.

É quando o círculo se fecha: Vandique lembra de uma história antiga, extraordinária; e reconhece algo, naquela paisagem, que corresponde à cena que lhe vem à mente.

Ficaria mal o romancista se não pudesse contar, na ficção, com as casualidades que ocorrem na vida real. Pedro Vandique, antes de alugar ao Piolho a casa 19 da rua do Egito, no princípio de 1733, esteve de passagem pelo Rio de Janeiro, pelo porto do Rio de Janeiro, em 1725.

E foi na rua da Prainha, numa daquelas velhas hospedarias para marinheiros, onde havia jogo, bebida e mulheres, que o flamengo escuta a admirável narrativa de um capitão inglês, sobre certo cigano da cidade. Dou a minha tradução da história, que tenta imitar a vulgaridade da língua e do estilo:

Você não tem ideia, Peter, você não sabe o que me aconteceu aqui, ano passado. Procurei o homem, esse homem de quem vou falar. Vi ele no porto, ontem. Mas fingiu não me reconhecer. É um cigano. Homem de confiança de um negociante português, que também faz contrabando. Foi ele mesmo que me procurou, no navio. Não tínhamos licença de comércio, entramos na baía para consertar o velame.

Eles nos fizeram uma proposta, de levar uma carga de aguardente. Era pouca coisa, não daria muito lucro. Mas fizemos o trato. Ficamos dez dias ancorados; e nenhuma autoridade nos incomodou. Na véspera da nossa partida, um dos escravos do português veio receber o pagamento da carga, com meu imediato. Mas o imediato não pagou. Foi uma combinação nossa. Mandei o imediato dizer que já tinha acertado com o cigano. E o africano foi embora.

No dia seguinte, na hora de zarpar, recebemos uma ordem dos meirinhos, para que o navio esperasse. Fui protestar; e percebi que havia alguma coisa. Chega, então, o cigano. Queria o dinheiro, ou os guardas iam entrar no navio, descobrir o contrabando e nos prender. Não dava nem para jogar a carga fora, porque o navio estava sendo vigiado.

Disse ao cigano que meu imediato tinha pago. Juro, Peter, que eu disse ao cigano que o imediato já tinha dado o dinheiro; que o africano é que estava mentindo. E disse isso com a maior convicção do mundo.

O cigano, então, pareceu acreditar. Mas mandou chamar o imediato: ia pôr os dois frente a frente. Eu e o imediato não tivemos escolha; e fomos até o trapiche. O africano estava lá, de joelhos, com as mãos nas costas, amarradas. O cigano tinha uma faca desembainhada. Peter, meu amigo, você não tem ideia do que houve. O cigano humilhou bastante o preto; punha a faca no pescoço e mandava ele olhar nos olhos do imediato. E contar de novo a sua versão da história (que era a verdadeira).

O imediato mentia, dizia que tinha pago, inventava detalhes. Uma farsa. Senti um grande alívio; mas tive pena do inocente. Não tinha como disfarçar aquele sentimento. De repente, percebi que o cigano me olhava, dentro do olho.

Foi então que aconteceu: ele, como quem fosse executar o africano, gira de repente o corpo e laça, com uma das mãos, o imediato pelos cabelos.

Peter, foi tão rápido, que ninguém teve reação. Tinha um tonel, ao lado do preto, que estava cheio d'água: o cigano enfiou a cabeça do meu oficial lá dentro. E só soltou quando já estava morto. O imediato era forte; se debateu o quanto pôde para se livrar, mas o cigano segurava o tonel com a mão esquerda e com a outra afogava meu oficial. Não pude fazer nada. Não percebi a malícia: o preto levantou quando o cigano laçou o imediato. A corda estava solta. Foram jogar o cadáver no mar.

E eu fui obrigado a ir beber com ele, com o cigano, aqui mesmo, nessa hospedaria. Para celebrar a justiça. Mas a história não acabou, Peter. Ainda vem a coisa mais inacreditável. O cigano não me pediu desculpas; mas queria me agradar. Queria que eu saísse daqui com boa impressão dele e dos outros companheiros. Se eu compreendesse, é claro, e cobrisse o prejuízo dado pelo imediato.

Concordei, Peter. Concordei com tudo. Não podia ficar preso no Rio de Janeiro. E bebemos. E nos divertimos. O cigano era agradável, no fim das contas. Até que ele me fez um convite: que fosse com ele dar uma volta, um passeio. Ele ia me dar um presente que eu não iria esquecer, nunca mais.

Saí do hotel com medo, mas fui. Eles já tinham tido a chance de me matar. No caminho, ele me disse o que era: uma mulher, a melhor mulher da cidade, para eu fazer o que quisesse. Foi quando chegamos nas ruínas de uma igreja.

Peter, o cigano me levou por um matagal até a entrada dessa ruína. Era uma cripta, um cárcere, uma passagem subterrânea que tinha ficado inconclusa. O cigano manda eu entrar. Pensei que estava perdido; que ia morrer naquele buraco. Mas logo depois entra mesmo uma mulher.

Uma cigana, parecia. Vinha enrolada numa manta; e quando tira a manta, fica só de saia, descalça, os peitos de fora, e o rosto coberto com um véu, como essas egípcias e árabes.

A primeira coisa que ela fez comigo foi me empurrar contra a parede e cair de joelhos para me chupar. Mesmo sem ver direito o rosto, porque a iluminação era ruim, dava para perceber que era bonita e jovem. E olhava nos meus olhos; e me xingava. Me deu tapas na cara. E me pôs debaixo da saia, me obrigando a passar a língua nela.

Depois, tirou a saia; e me encostou de novo na parede. E veio de costas. Ela mesma se encostou em mim e enfiou tudo dentro. E mandava eu calar a boca. E ficar quieto, sem me mexer. Só ela é que se contorcia, rebolava, ia pra frente e pra trás; como se eu fosse só um pedaço de pau.

Então, ela mesma, com as próprias mãos, tira minha verga da frente e encosta na portinha do rabo. E entrou tudo, Peter. Tudo! Não aguentei, meu amigo. Não consegui aguentar. Que puta!

O inglês interrompe a narrativa para pedir mais uma caneca. Parece reviver a aventura. Parece ainda apaixonado por aquela mulher. Dá um trago nostálgico no cachimbo. E não diz mais nada.

Vandique não pergunta como o caso termina. Mas percebe que falta alguma coisa; que aquele relato não está completo.

É desse encontro de 1725, da história contada pelo capitão inglês, que o flamengo se lembra, oito anos depois, quando mencionam a crueldade de Gaspar Roriz.

Havia, na rua do Egito, talvez um único lugar propício ao amor adúltero.

14
A demanda de Mécia Repincho

Voltemos à semana capital do romance, que ocorre entre o sábado 7 e a sexta-feira 13. Narrei o encontro de sábado, na quitanda do Alarcão, quando os três cegos leiloaram pasquins. Mencionei a confissão de Maria Cabra a frei Zezinho, no domingo. Referi o esdrúxulo diálogo entre Silvério Cid e o mesmo frade, na segunda-feira. O licenciado é baleado na sexta. Falta, portanto, conhecer os eventos de terça, quarta e quinta-feira.

Tudo que acontece, nesses três dias, tem apenas dois cenários relevantes: a casa de Leonor Rabelo e a taverna dos Repinchos. Comecemos pelo último.

Não era só uma taverna — mas uma casa de jogo, uma tavolagem. A atividade era, naturalmente, proibida. Porque não há nenhum sentido, nenhum significado metafísico num jogo sancionado, num jogo legal. Um dos primeiros atos de Estácio de Sá, após a fundação, foi proibir apostas a dinheiro. E o Rio de Janeiro prosperou, destinado a ser, em suas próprias palavras, *a rainha das províncias e o empório das riquezas do mundo.*

Destinos, no entanto, mudam. Como a sorte vira. É esse fenômeno, a virada da sorte, que fascina e embriaga. A taverna dos Repinchos, que servia refeições durante o dia, reunia à noite homens dependentes desse experimento, ou seja, viciados no jogo: os ciganos, o flamengo, o filho do bispo, moradores das redondezas e o próprio licenciado — que já vimos lá, num temerário diálogo com a proprietária.

Eram cristãos-velhos, Manuel e Mécia; mas eram pobres. Mudar a sorte, tentar um destino na aventura brasileira era comum, era quase regra entre os portugueses de então. Manuel chega ao Rio de Janeiro já meio inválido de uma das pernas. Mécia, contudo, tinha braços. Alugaram uma das casas ao Piolho; e estabeleceram lá a sua tasca.

Roubava um pouco, Mécia. Principalmente dos ciganos, que julgava serem uns tremendos ladrões. Mas era ela quem alimentava os três cegos, com restos de caldos, açordas, canjas e sopas, tudo muito repolhudo e embatatado.

Não fizeram amigos, os Repinchos, salvo o Piolho. Era uma espécie de benfeitor do casal. Da quantia que pagavam pelo aluguel, o rábula considerava certa parte como uma espécie de prestação de compra: Custódio Homem prometera vender a casa aos taverneiros.

Houve, é claro, uma contrapartida; uma contrapromessa: quando houvesse as diligências de praxe, em seu processo de habilitação a familiar do Santo Ofício, Mécia e Manuel seriam testemunhas da reputação ilibada e da origem cristã-velha de Custódio, cujos antepassados eram, ou teriam sido, oriundos da mesma Vila de Góis, comarca de Arganil, concelho de Coimbra, de onde vinham os Repinchos.

Não lançarei acusações a esmo, porque não me pronuncio sobre fatos transatlânticos. Mas convém alertar quem lê: não estamos no século da fotografia e da impressão digital. Identidades se provavam com o porte de uma simples certidão, de um diploma, de uma patente, de uma carta — quando não bastasse mera declaração sob juramento, amparada em testemunhos.

Ora, numa sociedade em que as distinções de raça produziam efeitos tão concretos e definitivos — no próprio plano jurídico e não apenas no ético —, era natural que muitos cidadãos, principalmente na colônia, procurassem camuflar, apagar origens espúrias: fraudando genealogias, alterando sobrenomes, evocando testemunhos falsos. Os mestres da História não me deixam mentir; e em seus tratados há carradas de exemplos.

Na terça-feira, quando resta na taverna, entre os fregueses do almoço, apenas o Piolho, a portuguesa se aproxima, para intrigar. Era esse o elo mais forte daquela amizade: a crítica moral e de costumes. Fonte de prazer, para Mécia; de poder, para Custódio.

Disse que Mécia tinha braços; as orelhas, porém, eram melhores. Conseguia, assim, capturar, especialmente à noite, entre as mesas de jogo, enquanto servia, trechos de conversas, frases soltas, xingamentos, exclamações — que expunham o lado tenebroso e vulnerável das pessoas.

O assunto daquele dia não podia ser outro — senão a conversa privada entre Gaspar e Páscoa, na escadaria do convento, que o pequeno Pacheco teve a sorte de surpreender. O primeiro veneno é do Piolho: pergunta se a taberneira ouvira algo sobre aquele escândalo.

Mécia responde com naturalidade: ninguém, na rua do Egito, ignorava os maus instintos dos irmãos Roriz, especialmente os de Gaspar, que chegara ao cúmulo de raptar a própria esposa. Então, de repente, dando à voz um tom mais grave, diz que os crimes do cigano iam bem além da fornicação e do adultério: o grande crime de Gaspar era o pecado nefando.

O Piolho, a princípio, se espanta; mas em seguida admite ter ouvido tais rumores. E nesse ponto entro eu, que conto a história, porque há segredos a serem revelados.

Disse que os três cegos eram poetas; que compunham quadrinhas satíricas sob encomenda; que transcreviam essas quadrinhas em pasquins secretos; que leiloavam publicamente tais pasquins, sempre à vista do destinatário; que nem mesmo o encomendante conhecia os versos, porque tal conhecimento prejudicaria o negócio. Só não expliquei como os textos eram transcritos: não revelei quem redigia os pasquins, já que os três poetas eram cegos.

Ser pobre — e ter origem pura; ter origem pura — e viver entre raças infectas; viver entre raças infectas — e ter de servi-las, de recolher seus restos: era muito para Mécia Repincho.

Quando Bento, ou Benício, ou talvez Benedito pediu à taberneira o favor de transcrever uma quadrinha num papel (a primeira, sobre a mulher do tenente, a pedido do Alarcão), Mécia fez aquilo com prazer. Escrever aqueles quatro versinhos deram a ela a mesma satisfação de uma vingança que se cumpre — talvez contra o mundo; ou contra o Rio de Janeiro.

Nem sempre identificava os destinatários; mas isso importava pouco para Mécia. O que valia era o orgulho de se saber cristã-velha; e a reafirmação constante desse orgulho, em função do contraste com aquela escória.

Quando a taberneira faz ao Piolho a acusação contra Gaspar, não revela sua fonte; não confessa ser a redatora dos pasquins. Percebeu se tratar do cigano em função de uma alcunha conhecida na rua do Egito.

Disse que o rábula se admira, inicialmente: porque não supunha que matéria tão imprevisível, tão extraordinária, já circulasse entre as mesas da tasca. Mas não ouviu nenhum "rumor". Sua fonte, portanto, era outra.

Quando os três cegos se retiram do armazém, no sábado, depois de venderem o pasquim a Silvério Cid, levam consigo outro pasquim ainda lacrado, cujo destinatário era Gaspar Roriz — pois o cigano ameaçara tanto os cegos quanto qualquer pessoa que ousasse comprar ou ler os versos.

Ora, Custódio Homem presta atenção ao pormenor. E fica imediatamente interessado em conhecer o conteúdo do pasquim restante. Não demora a procurá-los em casa, na rua dos Três Cegos, e oferecer $200 pelo texto. E eis, então, o que ele lê:

Sem torneios, sem rebuços,
eis o modo que te apraz:
o cadinho vai de bruços;
o chouriço vem por trás.

O Piolho hesita na interpretação das redondilhas: não sabe se o cigano é o chouriço ou o cadinho. Mécia Repincho, pela obesidade da voz, parece sugerir que Gaspar, o garanhão, talvez também gostasse de meninos, de moçoilos ainda lisos e macios.

Mas houve o episódio entre o cigano e Páscoa, na escadaria do convento. A Chouriça bem podia ser reincidente, ser irremediavelmente viciada no nefando. Logo, seria ela o cadinho; e Gaspar, o chouriço.

O Piolho se perde nessas considerações; mas não diz nada à taberneira a respeito da quadrinha. Sua intenção, sua ambição, é fazer ao Santo Ofício uma denúncia importante, de um pecado grave, que mostre aos inquisidores seu potencial de ação como familiar. Mas teme, ao mesmo tempo, chamar a atenção para a rua do Egito, para o meio onde vive e se relaciona.

Por isso, aconselha a Mécia o máximo segredo; que não faça delações contra ninguém: é dona de uma tavolagem; pode ser também denunciada.

Na quinta-feira, Custódio Homem toma, enfim, a decisão. Vai arriscar; tentar um lance. Experimentar, enfim, a sorte. Sabe que comete um crime; que as Ordenações punem gravemente o simples mexerico; que não poderia ter lido o texto; que deveria ter destruído o pasquim. Mas julga seja aquele teor assunto da alçada maior da Inquisição. E exibe o pasquim — não ao juiz ordinário, mas ao comissário do Santo Ofício.

Não menciona ter estado na pocilga do Alarcão, homem maldito desde o nascimento. Mente; inventa uma história. Diz ter achado o papel na rua, em frente à porta do cigano, de onde talvez tenha se desprendido. E que considerou o caso de interesse daquela santa autoridade.

Na sexta-feira, ansioso, nota a contradição entre o peito nu de Gaspar e o tempo que o cigano leva para sair de casa, tão próxima do lugar onde se deu o tiro. Não tem dúvida de que é ele o assassino; mas não quer prejudicar um projeto pessoal. Deixa que Gil Borja seja preso, enquanto espera os familiares que deterão Gaspar Roriz.

O comissário, entretanto, homem justo em sua estreita circunstância, julgou não haver base para acusar o cigano: um pasquim que se desprende pode ir, com o vento, parar em qualquer porta. Mas as breves diligências que ordenara, no chafariz da Carioca, foram suficientes para atestar certa alcunha, de certo embutido, aplicada a certa mulher, cristã-nova, moradora na mesma rua, já condenada por aquele crime.

Então, na semana seguinte, Páscoa Muniz é presa, pela segunda vez.

15
Os ardis de Águeda Roxa

A verdade, num romance policial, nunca deve estar nas personagens — mas nas circunstâncias. Um romance policial não pode admitir a ideia tola de justiça; e muito menos ceder à banalidade da noção de prova. Num verdadeiro romance policial, tudo é perspectiva; tudo é incompletude.

Antecipo considerações que talvez devessem vir no fim, pois nelas se explica menos o desfecho que a gestação do crime. É hora, portanto, de retomar a terça-feira, que ainda não terminou.

Mencionei a conversa entre Mécia e o Piolho, que nesse dia foi o último freguês do almoço. Vem, então, a noite, quando as mesas, na taverna, vão sendo lentamente ocupadas pelos jogadores: Antônio Laço, Gil Borja, Félix Curto, Gaspar Roriz, Pedro Vandique, Aires Rabelo, Afonso Roxo, André Pacheco, Urbano Alarcão.

Silvério Cid também está entre eles. Mas é um homem transtornado interiormente, embora seja visível seu esforço de parecer tranquilo. O fato de uma mulher casada conversar a sós com um homem, na rua do Egito, não constituía em si um problema moral. Tanto que já referi a relativa liberdade das ciganas e de outras moradoras, nesse âmbito.

A rigor, a cena de sábado sequer tem grandes consequências: Ângela se limita a estapear o pequeno Pacheco, sem sequer olhar na direção do marido — enquanto Páscoa mantém uma expressão natural, serena, quando passa pela porta do armazém com seu balde cheio d'água, fazendo a Silvério um gesto para acompanhá-la.

Havia, no entanto, três circunstâncias convergentes, que deram ao caso aquela proporção: a do passado de Páscoa; a de o homem com quem falava ser o Estraga-Moças; e a da entrega de um pasquim secreto a seu marido.

Assim, há certa expectativa, na tasca, quando Silvério entra — pois Gaspar já jogava, numa mesa com Gil Borja e dois parceiros da rua da Vala. Félix Curto, em outra mesa com Antônio Laço e Afonso Roxo, convida o licenciado a tomar parte da conversa.

Não são indiscretos; não são importunos. Percebem, contudo, o olhar inquieto de Silvério, que se volta sempre na direção de Gaspar. Félix, então, observa, com voz abafada: *cuidado com ele; é perigoso; deu conta sozinho de três homens armados.*

Aludia, Félix Curto, à vingança dos Pachecos, no episódio do rapto de Ângela, em que o próprio Félix era suspeito de participar. A advertência, naquela forma, naquele tom, é na prática a confirmação da suspeita.

Não quero me exceder nesse tipo de relato, mas justo naquela terça, à tarde, na hora da sesta, insuflado pelo pasquim, pelas palavras evasivas de frei Zezinho, Silvério foi tomado de um desejo brutal pela mulher; e a submete de surpresa, e de forma tão rude, que lhe tira sangue.

Estava ainda sob efeito daquele desejo, quando vem a observação de Félix. O matemático, porém, disfarça; e propõe um jogo de dados. Perde, porque não presta atenção; mas vê Gaspar se levantar, se despedir da proprietária e dos fregueses, dizer pilhérias em voz alta, até passar por sua mesa e cumprimentar a todos, ele inclusive, com a mesma espontaneidade, a mesma suficiência de quem não tem medo.

Quando é sua vez de ir embora, percebe Silvério, cravados nele, os olhos cúmplices de Mécia Repincho.

São esses eventos que desencadeiam os de quarta-feira: quando o licenciado sai, nas primeiras horas da manhã, Águeda Roxa, a principal piromante entre as ciganas, está em pé, perto da ponte, na outra margem da vala, aguardando consulentes.

Não é, para Águeda, um ponto ideal: a prática da sua arte exige recintos mais ou menos escuros, além de um pequeno fogareiro, onde possa lançar punhados de pólvora seca e fazer as chamas falarem. Mas está ali, naquele dia, disposta apenas a ler mãos, técnica de que não domina mais que os fundamentos.

E ela é quem convida o licenciado, como fazem todas as ciganas, como se já soubessem algo que fosse imperioso revelar. Silvério cede, ansioso por respostas, e estende a mão direita. Águeda estranha o contato ao correr os dedos pela palma do licenciado; mas diz: *não se importe de sujá-la com um sangue justo.*

Seria perder tempo, alongar demais a quarta-feira: tão logo encerra o vaticínio, a piromante propõe, com franqueza, sem dissimular a intenção, que o licenciado vá se encontrar com Félix, à meia-noite, no fim da rua. Não sei se já referi, mas Félix Curto, armeiro, antigo pretendente de Ângela Pacheca, suspeito de tentar assassinar Gaspar Roriz, era casado com Águeda Roxa.

Não tenho a ousadia nem a pretensão de devassar o espírito de Águeda, de explicar as razões de se dispor a ajudar o marido, numa vingança tardia contra o homem que roubou dele outra mulher. Para mim, basta o símbolo: em piromantes falam o fogo e a pólvora.

Silvério Cid não recua; vai ao encontro e recebe de Félix a pistola, que no fim irá disparar contra ele mesmo. *É o único modo*, diz o armeiro. E conta a história daquela arma: tinha pertencido ao próprio Gaspar, que lhe vendera, há cerca de um mês, para comprar outra, de dois tiros. Não crê, Félix Curto, que outra pessoa soubesse do negócio; afinal, era uma transação rotineira, feita entre ambos, sem testemunhas.

Todavia, como Gaspar portara por anos aquela pistola na cintura, não seria difícil encontrar entre os ciganos quem a reconhecesse como sendo dele. Assim, caso se descobrisse que Silvério atirara em Gaspar, o licenciado poderia alegar legítima defesa; que conseguira, por sorte, desarmar o oponente; e dera o tiro para se defender.

Chega, então, a quinta-feira decisiva. É quando Páscoa se dá conta de que há algo errado; começa a unir, a relacionar os fatos estranhos da semana: o mutismo do marido, o estupro que sofrera, os dias em que ele se recolhe já de madrugada. E passa a se preocupar, então, com o pasquim — que poderia conter uma calúnia.

Revira a casa, mas não descobre onde Silvério guarda o papel. É quando contempla, mais uma vez, a imensidão da biblioteca; e percebe que o pasquim poderia estar oculto em qualquer um daqueles volumes; que perderia dias procurando entre as páginas dos livros; que o marido, a qualquer momento, poderia surpreendê-la durante a busca.

Não sabe, Páscoa Muniz, enquanto faz aquelas considerações, que o matemático traz os versos consigo, escondidos na casaca. E se dirige, pela segunda vez, à casa de Leonor Rabelo. Não está, a viúva de Lázaro. A Carangueja não sabe dizer para onde foi. Pergunta por ela, ansioso, para as ciganas que passam, na quitanda do Alarcão, na escadaria do convento, no largo da Carioca.

Até que volta Leonor; e o licenciado pede que o receba, em casa. Tudo isso se comenta; tudo se torna público. Novamente, Silvério é visto entrando na casa da viúva. Páscoa não irá ignorar esse fato.

Eis o que se passa, então: mãos trêmulas, voz incerta, Silvério Cid declara a Leonor ser ela a única pessoa, a única amiga em quem pode confiar; que seus óculos estão quebrados; que ainda não recebeu os novos; que sem lentes já não pode ler; e que precisa ler — urgentemente — aquele pasquim.

Leonor empalidece, quando lê a quadra. Não sabe se a alegação é verdadeira; se a vista de Silvério está mesmo cansada e não funciona sem os óculos. Mas não pode dizer de quem se trata; não pode revelar o conteúdo do pasquim. Não sabe em que tipo de trama pode se ver envolvida. Não pode correr o risco de pronunciar aquele nome.

Ela, então, gagueja. E o licenciado sucumbe: *melhor calar do que mentir.* Retoma o papel, com delicadeza; faz um cumprimento respeitoso; e sai. Está, nesse momento, incrivelmente calmo.

Compreendemos agora, quase completamente, a reação de Leonor, na sexta-feira que encerra o período fatídico: quando reconhece o rosto de Silvério, sob a luz do oratório, e deduz a natureza do papel; e quando, por ter deduzido a natureza do papel, adivinha seu conteúdo; e quando, por adivinhar o conteúdo, se admira de que este seja revelado justamente a Gaspar.

No sobrado, ante a morte iminente do matemático, Leonor Rabelo é tomada por um enorme sentimento de admiração — pois Silvério se nega a denunciar o próprio assassino; além de premiar o silêncio, a covardia dela, com o legado infinito da biblioteca.

E vem, então, o conselho das ciganas, lideradas pela fúria de Plácida Laço, que exige de Leonor um testemunho qualquer, capaz de livrar Gil Borja da cadeia: era amiga da vítima, herdeira da biblioteca, podia inventar alguma história, apoiada nessa circunstância; dizer que ouvira confissões, lançar suspeitas contra inimigos imaginários, aproveitando que seu benfeitor estava morto.

Leonor, porém, pensa em Páscoa: não tem coragem de mentir; de fingir que sabe de um segredo que o finado não contara à mulher.

Essa reação de Leonor, somada à obstinação de Violante e Ângela em preservar Gaspar, é que leva Plácida e as demais ciganas a confrontar Mécia Repincho. Quando a taberneira reage, ameaçando incriminar Gaspar e Gil, não resta à Águeda senão o último lance, o último ardil: dizer que Félix vira a pistola — antes de ser recolhida pelo alcaide — e que julgara reconhecê-la, por ter feito reparos nela. Reparos encomendados, naturalmente, pelo dono: Gaspar Roriz.

Dos ardis de Águeda é que sai a denúncia: que, sendo a arma do crime pertencente a Gaspar; tendo sido o tiro disparado frente a frente, e à queima-roupa, dada a posição do ferimento; ficando claro, portanto, que a vítima vira o rosto do agressor, mas se recusara a declarar seu nome; sendo sabido que Gaspar tinha com Páscoa intimidades excessivas; deduzindo-se que o único motivo razoável para o silêncio da vítima, em relação à identidade do assassino, seria a vergonha, o pudor da desonra; e constatando que Gaspar, morando tão próximo de onde se deu o crime, tenha sido o último a sair de casa, praticamente nu, fingindo ter acabado de acordar, numa escancarada dissimulação — fica provado que Gaspar Roriz é quem matou Silvério Cid.

Foi o que levou, enfim, à prisão de Gaspar.

Os mortos voltam para casa. Os encantados vagam. Mas os aniquilados sobrevivem.

Na morte, a pessoa se desfaz em várias partes. Os ossos viram pedra e esquecem tudo. O sangue se mistura com o do matador. A sombra nunca termina de apodrecer. E o nome tem que fugir, tem que escapar da sombra.

Os aniquilados perdem o nome antes de morrer. Por isso sobrevivem.

A sombra dos aniquilados sente muita dor, muita agonia, é como uma pessoa ao mesmo tempo sem olhos e sem ouvidos. Terrível labirinto, o do silêncio escuro.

É nesse labirinto que anda o aniquilado. Não tem contorno, não tem uma aparência. Não sabe quem é, porque não chega a ser. Sofre sem noção. E vai se aniquilando, se misturando com os outros que nem ele. Por isso, estão sempre podres. Nunca param de apodrecer. Essa é a fórmula da imortalidade.

A sombra dos aniquilados, a gente pode ver daqui. Mas não entende a figura, não percebe o que ela é. É perigosa, porque pode chupar pedaços da nossa. Toda pessoa aleijada, mutilada, surda, cega ou sem juízo pisou numa sombra dessa. A morte é uma coisa que existe.

Aconteceu com um dos três. Um dos donos do ouro. Um dos dois que sobraram. Tinham ido embora, depois que os ciganos raptaram a moça. Não sabiam nada dela, não sabiam que o Veludo escondia uma filha no Carabuçu.

Mas tinham pacto, de sangue e fogo. Iam voltar. O ouro estava enterrado na caverna. Só os carregadores conheceram aquele esconderijo. Mas estavam mortos, sangrados no facão. No passo do Inferno ninguém passa impune.

Quando estão de volta na estalagem, é que sabem do destino do Veludo. O homem da estalagem passa os papéis para o doutor de Coimbra. Para o filho da puta de Madri, não havia nada. Mas é ele quem vai ver a cova. Ainda tinha carne dentro. Ainda tinham o pacto.

É quando encontram um dos ciganos. O outro estava longe, tinha ido correr o rio maior dos quiriris. Pelo menos (eles pensam), um voltou. Um, pelo menos, tinha de voltar. Ali era o Carabuçu.

O que voltou queria ouro. Mas ouro é coisa da terra, é coisa presa no chão. É difícil de arrancar, o ouro. Só quando corre no rio; ou quando corre sangue.

O cigano tem lábia, tem astúcia. Explica que foi para se defender. O homem da estalagem confirma. Tem muito medo, o homem da estalagem. Não vê a hora de sumir, de deixar o Carabuçu para trás. Mas a cova ainda tinha carne.

Eles combinam, fazem um trato. O cigano vai trazer gente. Vão pegar o ouro, vão dividir, vão passar em segurança, rumo do porto, rumo do mundo.

Mas traição é caminho sem volta. Quando eles pegam a trilha, quando entram pelo caminho da caverna, vem o assalto, vem a traição do cigano.

Tinha previsto tudo, o filho da puta. Tinha avisado o doutor. Tinha avisado os puris. Para puri, ouro é que nem pedra. E puri é que nem bicho, que nem português. Matam todos, na ponta da flecha.

O cigano ficou com uma atravessada na garganta. Mas, em vez de morrer, também se encantou. É força grande, o ouro dentro da terra.

Na boca da caverna, sobram os dois: o filho da puta e o doutor. Ainda têm o pacto. Ainda têm o ouro. Mas um deles está ferido. Mas puri não quer arrastar, não quer levar. Decretam estado de morte. E vão embora. Morto nunca traz coisa boa.

O outro leva o moribundo para dentro da caverna, para onde está o ouro. Eles confirmam o pacto. O moribundo pede água, pela última vez. O outro dá a água. E acaba com aquilo.

Esse que sobrou, esse último dos três, é que veio morar na casa do Veludo. Tinha passado o passo do Inferno, não podia durar muito.

É a história dele, o que se vê daqui.

16
A traição de Ângela Pacheca

Quem conhece a história do Rio de Janeiro talvez me considere um mau romancista, ante um erro flagrante, uma omissão imperdoável, relativa aos monumentos do morro de Santo Antônio. É verdade: até agora, mencionei apenas o convento e a igreja dos Menores — sem aludir ao templo da Ordem Terceira, obra máxima do barroco carioca. Uma ingratidão, inclusive, pois foi no hospital dessa ordem, na Muda da Tijuca, que vim à luz, dois séculos depois.

Minha defesa tem dois itens: primeiro, não quis asfixiar o leitor com informações excessivas; segundo, a igreja dos terceiros, que fica ao lado da dos frades, não estava pronta em 1733. A construção, que começa em 1657, permanece décadas interrompida pela briga entre as ordens: os Menores queriam para si o privilégio do sino; e não podiam admitir que a igreja dos terceiros ostentasse outro.

Na época em que o romance se passa, ainda se erguiam paredes na nave principal desse segundo templo. De fora, via-se um imenso e confuso amontoado de pedras, toras de madeira, estrados, roldanas. Entre a cantaria, por baixo de um estrado, existia um vão que levava àquela suposta passagem secreta, à câmara oculta descrita pelo capitão inglês como parte das ruínas de uma igreja. Voltamos, portanto, a Pedro Vandique.

O flamengo associa aquelas imaginárias ruínas ao templo em construção — porque julga reconhecer Gaspar Roriz no cigano referido pelo inglês. Homem do cais, Vandique está atento às embarcações que ancoram, especialmente as estrangeiras, que oferecem boas oportunidades de negócio. É clandestino, Vandique; não tem licença de residir na cidade. Por isso prefere andar à noite, percorrendo estalagens e bodegas dos arredores do porto.

Numa dessas andanças, primeiro dia de novembro de 1733 (para ser mais preciso), o flamengo reencontra um antigo companheiro, Timo Riho, velho pirata lapão que chega ao Rio de Janeiro como escrivão de um navio francês. Não se aproxima, contudo, do amigo: porque este bebe e conversa com Gaspar Roriz.

Fica por ali, na espreita, sem se deixar ver; até que o cigano vá embora. Só então se levanta, para cumprimentar o pirata. Dão abraços, riem, recordam aventuras. E Vandique menciona Gaspar; conta casos do cigano; e adverte o amigo.

E eis, então, o que ele escuta: que Gaspar fizera a Timo uma proposta, envolvendo contrabando; que acertaram toda a transação; e que naquele dia o cigano o convidara para umas rodadas. Algo incrível, entretanto, surgira da conversa: o cigano lhe oferecia uma mulher — extraordinária e insaciável, segundo ele — que era sua amante, mas também viciada numa perversão: a de ser tomada por desconhecidos; que fazia tudo; e aceitava até levar por trás.

O encontro seria à meia-noite. E o lapão exibe um mapa, mal rascunhado, que indicava a ponte da rua da Vala.

O flamengo não resiste à curiosidade: quer saber, precisa saber quem é essa mulher, capaz de tamanha luxúria, e de tão grandes licenças. Treme até, por um momento, imaginando pudesse ser Bernarda (o que justificaria a atitude de Gaspar, em não permitir que ela se casasse).

Mas o medo cede à ânsia maior pela Mulher Perdida; e ele combina com o pirata uma estratégia simples: irá segui-lo pela rua da Vala. A uma distância segura do ponto de encontro, talvez possa surpreender a identidade da mulher.

Não é o que acontece: Gaspar chega sozinho; e o lapão o acompanha. Vandique espera um pouco; e segue os dois, colado à cerca do convento. Não vê ninguém, além dos homens. E conclui que a Mulher Perdida já espera, em algum lugar entre as pedras.

Da posição em que está, o flamengo divisa bem o vulto do cigano, com sua capa à espanhola. Ousa um pouco mais, se afastando da cerca, para ver melhor; e constata que Gaspar está sozinho, do lado de fora; que certamente o pirata já se diverte com a mulher.

Mas não se passam mais que alguns minutos: o vulto do cigano some, por entre a cantaria. E Vandique não se arrisca mais. No dia seguinte, Timo Riho narra uma versão similar à do inglês; e revela ter notado a presença do cigano, meio oculto, que se contentava em observá-los. Sobre a mulher, diz coisas vagas — porque o rosto estava coberto por um véu.

Adivinham todos que me leem ser Vandique o encomendante do pasquim sobre Gaspar. Para confundir, camuflar a própria identidade — já que tinha suas querelas com o cigano —, pede aos cegos que também façam um pasquim para Silvério Cid (porque suspeita, no fundo, que a Mulher Perdida seja Páscoa); e que simulem o leilão de um terceiro pasquim, para ele mesmo: que lhe vendam, no dia, por $500, um papel em branco.

É a brincadeira do flamengo, portanto, que dá início à semana trágica, prescrita nas estrelas — entre o sábado

7, que surge com Marte na casa dos Inimigos e dos Maus Espíritos; e a sexta-feira 13, quando, na hora do crime, Saturno passa pelo Meio-Dia e a Lua permanece na casa da Morte.

Ângela Pacheca, quiromante, não domina esses segredos; mas conhece outros. No domingo, dia 1º, dia do encontro entre Gaspar e Timo Riho, toca, de manhã, ainda na cama, as mãos do marido. E pressente que aquelas linhas — lidas já uma centena de vezes — têm algo novo a dizer.

Permitam-me um parêntese: não ignora, Ângela, que as linhas inscritas na palma da mão (como impressões digitais) não mudam de aspecto. Como, então (perguntaremos), poderia haver algo inédito na mão de Gaspar? Esse é o segredo da Pacheca, a ciência e o legado das ciganas quiromantes do Rio de Janeiro: não é o livro que importa — mas a leitura. A palma da mão também é, nesse sentido, uma biblioteca elementar.

E Ângela lê; e avisa Gaspar da iminência de uma traição. É cigano, Gaspar Roriz. Mas se sente tão forte, tão livre, tão seguro, que dá apenas um beijo nos lábios úmidos da mulher: *fique tranquila*. E se levanta, porque o Sol caminha.

Acompanhando a trajetória de Gaspar, naqueles dias, constatamos que a quiromante estava certa; e que se trata de uma tripla traição: a do pirata; a de Vandique; e a do casal Águeda e Félix.

Ângela não trai: resiste à pressão das ciganas, à fúria imensa de Plácida Laço. Guarda o pasquim dirigido a Silvério, que o marido arranca das mãos dele, depois de dar o tiro. Não revelaria o conteúdo — se não houvessem prendido, justamente, seu amado Gaspar.

Se condenado por homicídio, Gaspar Roriz, sendo cigano, tendo assassinado um doutor de Coimbra, mereceria a forca, sem direito a apelações. Não pode calar, portanto, Ângela Pacheca. Tem de dizer o que sabe; tem de se apegar àquele último fio.

E vai, desesperada, ao juiz; e conta tudo: que o marido matara em legítima defesa; que tinha há tempos vendido a arma a Félix Curto; que o licenciado lhe mostrara aquele pasquim; e que, inexplicavelmente, o ameaçara, com a pistola que fora dele.

Era a verdade; mas a verdade nem sempre é verossímil: quer primeiro, o juiz, que Ângela explique o sentido daquelas redondilhas: pois — ainda que ficasse livre da acusação de homicídio — morreria por cometer o pecado nefando.

É quando ela se dá conta de que, sem o contexto verdadeiro, ninguém entenderia os versos:

Se tu és Estraga-Moças,
tens instintos tão vorazes,
por que ficas nas retouças
esperando por rapazes?

E descobre Ângela, então, todo o mistério: Gaspar tinha prazer em assisti-la com outros homens. Com desconhecidos. Com marujos estrangeiros, que raramente voltariam à cidade. Não era forçada. Pelo contrário: foi ela quem propôs, da primeira vez. Era curiosa. Gostava de experimentar outros amantes. E de se exibir. Mas seria incapaz de se lembrar, de reconhecer na rua os homens que usava. Não lhe importava quem fossem: porque homem mesmo — para ela — era Gaspar Roriz.

Ninguém, nunca (declara Ângela com lágrimas pingentes), chegara aos pés de Gaspar, com uma mulher.

17
Os pesadelos de Epifânia Dias

O parágrafo 9º do título 25 das Ordenações Filipinas, ainda vigentes em 1733, trata do marido que consente no adultério da mulher. A pena cominada, para ambos, são açoites; levarem na cabeça chapéus de chifres; e serem degredados para o Brasil. A moderna acepção de "corno", portanto, deriva desse antigo dispositivo legal, que remonta à Idade Média.

Ângela, assim, é presa. E não consegue livrar o marido da suspeita de assassinato. Havia duas dificuldades processuais, no caso dele: provar que a arma do crime tinha sido vendida (o que nem era tão difícil, pois Gaspar andara exibindo, no porto e entre os nômades, sua nova pistola de dois tiros); e explicar o comportamento de Silvério Cid: que motivo teria o licenciado para ameaçar o cigano?

É quando se apresenta a única testemunha ocular do crime: Leonor Rabelo — porque o juiz já não ignora sua amizade com a vítima e a doação da biblioteca. E suspeita que a cigana possa saber alguma coisa.

Não revela, Leonor, que esteve no cemitério; não conta que viu a cena em que Silvério saca a pistola para atirar em Gaspar; omite também que pôs cartas para o licenciado; que viu nelas o coração de Páscoa dividido entre dois homens.

Leonor Rabelo se limita a declarar que Gaspar já não usava aquela pistola. E a narrar a visita de Silvério Cid; o pedido de que lesse em voz alta, para ele, o pasquim; e sua recusa em revelar o teor do documento, por se tratar da honra de seu primo. E explica: o matemático alegava ter a vista cansada; e ainda estar sem óculos — pois os antigos haviam se quebrado.

Diz isso, Leonor, para não se comprometer; e ao mesmo tempo libertar Gaspar; porque viu a cena; porque acredita na legítima defesa. É o único depoimento capaz de justificar a atitude do licenciado: sem poder ler, julgara que a quadra se referisse a um adultério da mulher — suspeita que avulta quando o filho de André Pacheco denuncia a conversa entre Gaspar e Páscoa, na escadaria do convento.

O cigano, no entanto, continua preso — porque Páscoa Muniz, tirada da cadeia para depor, sem saber por que lhe fazem tais perguntas, confunde tudo: que não se lembra do marido usando óculos; que não estavam quebrados, mas largados, há muito tempo, entre cadinhos, retortas e outras tralhas do Mouro, no segundo andar; que Silvério já não tinha mais o hábito de ler; que nunca teve interesse, na verdade, na biblioteca de Ramiro D'Ávila.

E o romance poderia terminar, pois a solução do caso — se não está dada claramente — foi ao menos sugerida. Mas é necessário completar certos destinos; ou melhor, preciso concluir o destino de Leonor Rabelo, que começa o livro tentando descobrir o paradeiro de Lázaro.

E tal destino se cumpre através de outra personagem: Maria Pinima. Talvez ainda se lembrem dela: filha de Epifânia Dias, que alugava um canto na casa da cigana. Não tinha ofício; não sabia ler. Seu único trabalho era ajudar a mãe, se prostituindo nos alcouces, no campo aberto do rossio, ou mesmo em casas da vizinhança — tendo, na rua do Egito, fregueses como Vandique, o Piolho e o Alarcão (que a derrubava sobre mantas de carne-seca ou sacos de batata, no próprio armazém).

Tive o privilégio de registrar, neste romance, o melhor momento da vida da Pinima: quando consegue seduzir Maria Cabra, no dia dos pasquins. Frei Zezinho, contudo, se interpõe; e ameaça a Cabra com tremendas descrições do Inferno, com os ígneos castigos que as esperariam no fundo da terra, ao lado de milhares de demônios.

Frei Zezinho obriga Maria Cabra a se confessar quase que diariamente. Até que ela renuncie ao amor da Malhada. E não permita mais que ela suba em sua rede.

A recusa convicta e definitiva de Maria Cabra se deu justamente no dia da prisão da Carangueja. A Pinima nunca ouvira palavras tão duras, não imaginava que sua felicidade fosse durar menos da metade de uma lunação. Com a mãe na cadeia, e sem Maria Cabra, Maria Pinima fica estranhamente livre.

Entra em funcionamento, então, a principal engrenagem do sistema penal português, movida menos pelos agentes da justiça que pela inveja, pela dor, pelo ressentimento, pelo medo, pela vingança dos próprios cidadãos, por tudo que brota da lama negra ou da madeira podre de que é feita a humanidade.

Maria Malhada, primeiro, remexe em coisas de Epifânia; e depois denuncia Leonor Rabelo — por ter sido ela, e não a mãe, quem profanara o cemitério dos pretos. E dá a prova: Maria Cabra disse ter furtado, no convento, um burel dos frades: burel que ainda estava num baú de Leonor.

Os familiares acham esse burel. Embrulhados nele, encontram ossos. Seguramente, ossos humanos. E Leonor é presa.

Este é o ponto crucial da narrativa, onde o capítulo culmina: o momento em que estão detidas, na mesma cela, dadas a precariedade e a escassez de cadeias no Rio de Janeiro, quatro mulheres da rua do Egito — Ângela, Páscoa, Leonor e Epifânia —, todas prisioneiras da Inquisição. Pois até o caso da Pacheca, excepcional em todos os sentidos, fora submetido à apreciação do Santo Ofício, pelos motivos que serão sabidos.

A Carangueja — que nunca fizera delações, nem dissera uma palavra em sua própria defesa — passou a ter, então, muitos pesadelos. E foram devastadores, os pesadelos de Epifânia.

Eram histórias da Morte e dos mortos; do mundo que não se vê daqui; dos espectros que habitam os matos; dos inimigos do fundo; das rochas semoventes; do Urubu de Duas Cabeças; das tribos de espíritos canibais; da carne que apodrece; da sombra que volta; do sangue que trai; dos ossos que esquecem; do nome que foge; das falanges de encantados; das escórias de aniquilados; daqueles que sobrevivem mesmo depois de ter morrido.

Conta, sonha, em voz alta, a Carangueja. As outras escutam. Não a compreendem, a princípio. Não sabem que quem matou Silvério Cid é ela mesma, Epifânia Dias: quando entrou no sobrado; quando se aproximou do moribundo; quando cuspiu — lançou uma pequena flecha feita da lasca de um crânio humano.

Começam, assim, os pesadelos: pois só quem mata pode ver a morte. Mas são confusos, são disformes. A Carangueja ainda não tem olhos treinados. Até que chega Leonor Rabelo. Leonor — que tanto busca o paradeiro de Lázaro.

E é a história de Lázaro — que também cruza com a de Dioniso; com a do Veludo; com a de Silvério — que a Carangueja sonha.

Não há segredos, no romance, que os pesadelos de Epifânia não revelem: Leonor, que consultou as figuras do baralho, o voo dos pássaros, as nuvens do céu, a palma das mãos, a dança das chamas; essa mesma Leonor, que se dispôs a consultar os próprios mortos — não obteve respostas; nunca pôde saber se Lázaro era ainda vivo ou morto.

Não foi por inépcia; ou por falta de arte. Mas porque Lázaro não era nem morto nem vivo. Lázaro é o cigano encantado, com a flechada dos puris. Como o Veludo, o Mouro, que também se encantou. Dioniso, não: Dioniso morreu; e teve a sombra devorada por espectros necrófagos.

E revelam mais, os pesadelos da Carangueja. Quando Leonor põe cartas para Silvério, e diz, sobre Páscoa, que *a dois homens quer bem: um tem mãos sujas de ouro; o outro, de sangue*, alude ao próprio Silvério Cid (ladrão, sonegador e moedeiro falso) — mas não a Gaspar.

É outro assassino, foragido da justiça, que Epifânia sonha: certo Vito Piçarra, o filho da puta de Madri.

No pesadelo da Carangueja, sobrevivem ao ataque do bando de Lázaro tanto o ladrão quanto o assassino. Um deles, porém, está ferido. Mortalmente. Os puris, que os defenderam, decretam essa morte. E vão embora. O outro arrasta o moribundo para a caverna. Têm ainda o pacto. E o que morre tem sede. O outro dá a ele um pouco d'água. E, antes da estocada de misericórdia, incorpora o nome do que vai morrer.

Por isso, o que fica na caverna, o que perdeu o nome antes da morte, se aniquila. Quem vem morar na rua do Egito, na verdade, são duas pessoas.

18
O problema das duas portas

Lamentavelmente, não tive a oportunidade de matar seres humanos — o que me torna um romancista incompleto para o gênero policial.

Tenho certa autoridade, no entanto, para falar de adultério; e posso confessar minha própria traição, neste momento, quando deixo minha amada Leonor Rabelo — para me perder com Ângela Pacheca.

Imagino novamente a cena em que ela está só, colorida e forte, diante do juiz e de outros funcionários da justiça, para defender Gaspar. Chora; mas não tem medo. Chora porque é mulher; e porque, sendo mulher, sabe qual será a sentença.

Mencionei que a denúncia foi parar na Mesa dos inquisidores. É que Ângela diz, literalmente, *amar os desconhecidos apenas com o corpo*; e, em relação a Gaspar, *com o corpo e a alma*. Era, possivelmente, uma proposição herética, que merecia exame e, talvez, punição.

É impossível não refletir, paralelamente ao caso de Ângela, sobre o experimento existencial de Gaspar Roriz — o aparente contraste entre sua excessiva virilidade e o papel íntimo de corno (como se diria, chulamente, hoje).

Há quem defenda seja fruto da mesma arrogância, de um sentimento muito particular de superioridade. Apesar de ser, tal tese, um belo oximoro, não creio nela.

E penso em outras: ou Gaspar tinha tão refinado senso estético que não podia resistir à contemplação de uma beleza extrema como a de Ângela; ou, sendo livre como era, reconhecia nas mulheres o direito elementar ao adultério — por ser saudável e, muitas vezes, necessário.

Mas meu prazo expira. E, para concluir, é importante lembrar que apenas Ângela, Gaspar e Leonor sabem, àquela altura, da troca dos pasquins. Além, naturalmente, dos três cegos.

Sei que foi vingança; que houve ali malícia e premeditação: acreditavam, os cegos, que Silvério fosse divulgar a quadrinha, porque era assim a brincadeira, porque era parte da maldade do mundo. Não poderiam supor que o licenciado estivesse (como eles) sem condições de ler.

Essas personagens, contudo, não alcançam o sentido verdadeiro do que ocorre na semana fatídica. Nem mesmo aquelas que chegaram a notar coisas estranhas no licenciado — como Águeda Roxa (quando toca a palma da mão de Silvério); ou frei Zezinho (quando lhe dá o pasquim para que leia em voz alta); ou o barbeiro Tibuca (quando tenta examiná-lo, no episódio da fratura); ou o próprio Piolho — quando Silvério não encontra os documentos no baú; quando firma o carimbo de cabeça para baixo; quando vê papéis comprometedores em sua mesa e não o denuncia.

Custódio Homem foi incapaz sequer de perceber o sofisticado artifício de metáforas cruzadas daquela pérola da poesia popular, que usara, ridiculamente, na delação contra Gaspar Roriz: pois tanto *cadinho* quanto *chouriço*, no texto do pasquim, só poderiam aludir (como duplamente aludiam) a Silvério e Páscoa.

A solução do caso, obviamente, não poderia emergir de outra pessoa, senão Bernarda Arrais: mulher dos olhos de azeviche e cabelos tremulantes como palmeiras no deserto. É também prisioneira, Bernarda. E em seu cárcere lê, eternamente, no livro dos enigmas, o problema das duas portas.

Na quitanda do Alarcão, onde tudo começa, há um grande debate sobre os destinos da rua do Egito: nunca tinha havido tragédia como aquela, com tantos moradores presos, em tão pouco tempo. É quando a Moura espalha sua teoria: Silvério Cid nunca foi Silvério Cid — mas o seu oposto. Ensinava, o livro dos enigmas, que a verdade não se encontra na resposta certa.

Tal conclusão, que escandaliza a rua, se baseia num único elemento: o fato de o pretenso Silvério, licenciado em astronomia e matemáticas pela Universidade de

Coimbra, desprezar o verdadeiro tesouro que existia no sobrado de Ramiro D'Ávila: a biblioteca.

Bibliotecas são como miragens no deserto: quem conduz a elas seu destino (e disso sabe bem Bernarda Moura) não encontra meio de matar a sede. E aquele homem — que nunca mencionou um livro, que sequer conversava sobre eles — não podia ter visto a miragem.

Segundo o princípio contido no problema das duas portas, o homem casado com a Chouriça era, na verdade, o inverso de um letrado. Era um homem sem letras. Sem nenhuma letra: um analfabeto.

Analfabeto que deve ter se apossado da identidade do verdadeiro Silvério Cid, bem como de suas roupas, perucas, anéis, diplomas, certidões e escrituras — sendo muito possível que ainda o tenha assassinado. No Rio de Janeiro, cidade onde ninguém os conhecia, era menos provável que fosse descoberto.

Irrelevante, portanto, segundo a tese da Moura, o que estivesse escrito no pasquim: a única leitura possível, para um impostor que não soubesse ler, era a história elementar da humanidade, que está em todas as mitologias: aquela que narra a traição da Mulher.

Não pretendo me estender muito mais, porque não há grandeza na escala humana. Por mais que houvesse livros na biblioteca, a história de Páscoa seria sempre a mesma. A opinião da maioria seria sempre a pior.

E já que abandonei Bernarda para lembrar de Páscoa, aproveito a última oportunidade de revê-la.

Na masmorra escaldante, jogada a um canto como as outras prisioneiras, não sabe Páscoa o que se passou na rua do Egito. Se estivesse lá, se conhecesse a história do pasquim, talvez também apoiasse a teoria de Bernarda Moura. Mas as ciganas já não dizem nada, perdidas em seus próprios infortúnios.

Só se escutam ali os pesadelos de Epifânia Dias. É com eles que a Chouriça se distrai. E, mesmo sem crer, ou sem muito acreditar, não esquece a cena da caverna — quando um dos comparsas arrasta o outro, mortalmente ferido, para perto de onde está o tesouro.

Não aponta, a Carangueja, se o ferido é Silvério; ou se o filho da puta. Diz apenas que um se aniquilou — porque cede o nome, antes de morrer, ao próprio assassino, ao homem que lhe dá a estocada de misericórdia.

Ao menos dentro de si mesma (único lugar onde estivera com Gaspar), Páscoa Muniz é plenamente livre. *E se fui casada*, especula, *com esse filho da puta de Madri?*

E ri, sozinha, de mais essa hipotética vergonha.

O problema das duas portas

A pergunta a ser feita é: se você fosse o outro, por que porta sairia? O que fala a verdade assume a identidade do mentiroso, e indica a porta da morte. O mentiroso mente que assume a identidade do verdadeiro, e indica a porta da morte. E Mussa sai pela outra porta.

Cartas celestes

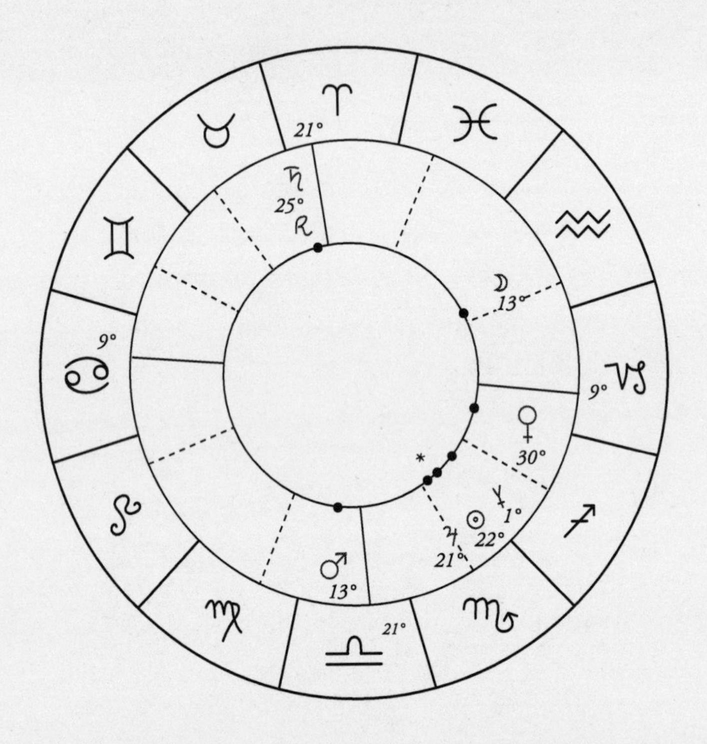

Rio de Janeiro, 28 de fevereiro de 1565, às 13h15.
Momento exato da fundação da cidade, segundo documentos descobertos por Nireu Cavalcanti, ainda inéditos.

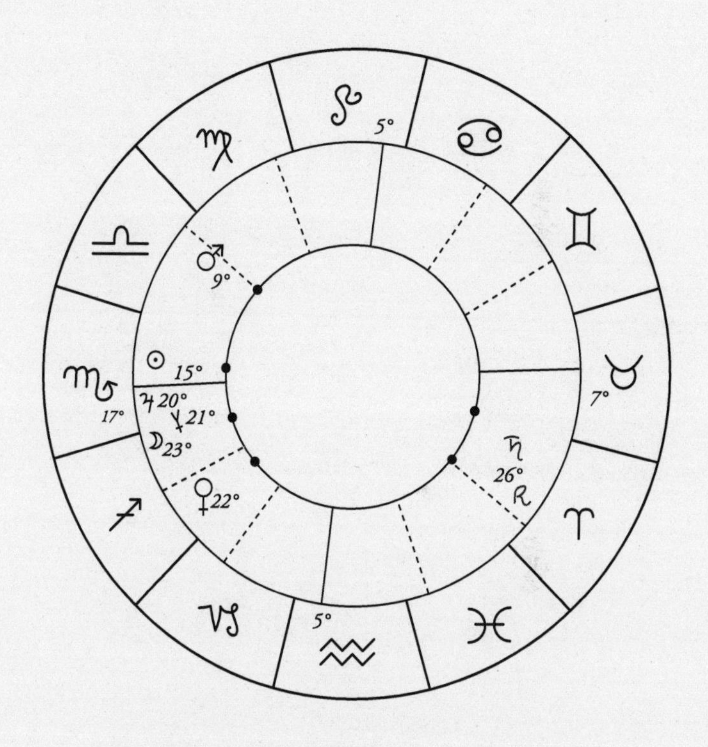

Rio de Janeiro, 7 de novembro de 1733, às 5h20.
Início astrológico do dia.

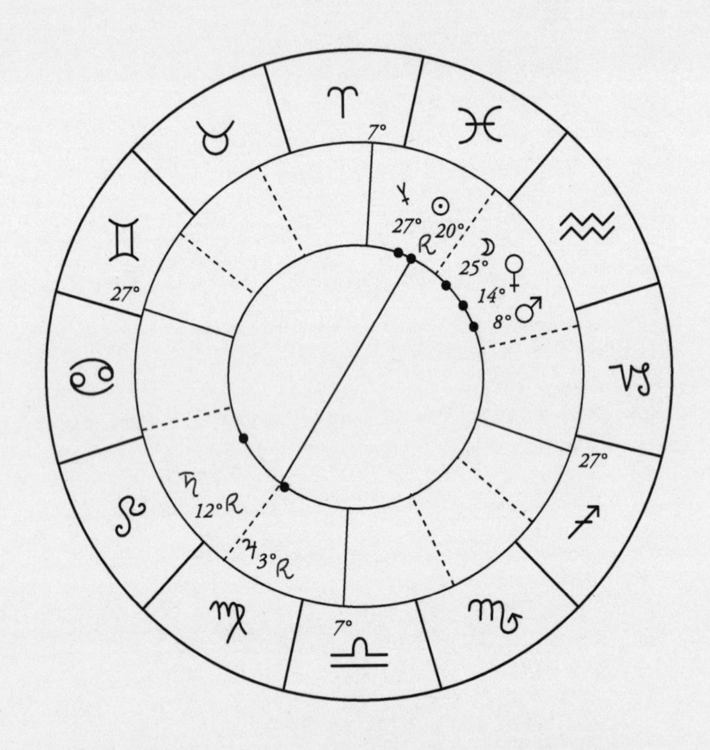

Rio de Janeiro, 13 de novembro de 1733, às 21h45.
Hora do crime.

Agradeço

À Elaine e ao Juca, que discutiram comigo essa história, quando ainda era narrativa oral;

ao Carlos Andreazza, à Anna Luiza Cardoso, à Duda Costa, à Livia Vianna, à Luciana Villas-Boas e ao Miguel Sanches Neto, por lerem e comentarem meus originais;

aos Vieira Araújo, que me apresentaram ao Carabuçu, à Cachoeira do Inferno e à herança puri do Vale do Itabapoana;

ao Nireu Cavalcanti, que me falou sobre antigas práticas dos cartórios, sobre o âmbito de atuação dos rábulas, e até sobre fármacos populares, como a beldroega;

ao Ronaldo Vainfas, por dirimir minhas dúvidas sobre competências dos funcionários do Santo Ofício;

e ao amigo Wail Saddiq Hassan, por estimular minha reconciliação com o infinito imaginário da cultura árabe.

Este livro foi composto na tipografia Minion Pro,
em corpo 12/17, e impresso em papel off-white
no Sistema Digital Instant Duplex da
Divisão Gráfica da Distribuidora Record.